L'ENVOLÉE

MARIANNE PAULOT

L'ENVOLÉE

PIERRE BELFOND
216, boulevard Saint-Germain
75007 Paris

Si vous souhaitez recevoir notre catalogue
et être tenu au courant de nos publications,
envoyez vos nom et adresse, en citant ce livre,
aux Éditions Pierre Belfond,
216, bd Saint-Germain, 75007 Paris.
Et, pour le Canada, à
Edipresse Inc., 945, avenue Beaumont,
Montréal, Québec H3N 1W3.

ISBN 2.7144.2555.0

Pour Véro

« L'âge n'est rien. [...] On a tort de croire qu'il est rare de voir des adolescents de seize ans écrire. Il n'y en a que trop. »

Raymond RADIGUET, *Règle du jeu*

8 avril 1989

Qui suis-je ?

Je crois qu'il y a peu d'adolescentes qui, autant que moi, aient besoin de parler, et à qui on ne parle pas !

C'est pour ça que je décide de tenir un journal. Mon nom : Lucie, mon âge : quinze ans. J'ai les cheveux très noirs, très longs, très raides, et j'ai des yeux bleu turquoise. Pas mal, le mélange ! comme dirait Lisa. Lisa, c'est ma meilleure amie. Elle est sympa et très culottée. Moi aussi je suis audacieuse. Les adjectifs qui me qualifient sont certainement : dynamique, gourmande, drôle, bougonne. Je vis dans un grand appartement avec mes parents et deux petites sœurs parfaitement infernales. C'est pas parce que ce sont des jumelles qu'elles ont tous les droits !

Voilà, salut,

Lucie.

9 avril 1989

Coucou !

Aujourd'hui, je suis allée chez Lisa. On a fait du lèche-vitrines. Je ne peux pas vraiment dire que les fringues qu'a achetées Lisa soient d'un goût extra ! Entre autres, une jupe qui mérite d'être décrite : elle lui arrive à mi-cuisses (la jupe, pas Lisa !), tout en cuir noir avec, par-ci par-là, une forme géométrique rouge. Évidemment, on ne pouvait pas acheter cette jupe sans les bottes, le blouson et le pull assortis ! Comme disait la vendeuse : « C'est un crime de séparer ainsi un tel chef-d'œuvre ! Imaginez *La Joconde* sans son sourire ou sans son regard ! »

Jamais *La Joconde* ni Léonard de Vinci ne se seraient doutés qu'ils serviraient un jour à une vendeuse de la rue de Lévis pour vendre un ensemble de cuir !

Salut,

Lucie.

10 avril 1989

Salut !

Le 10 avril 1973, il y a exactement seize ans, le monde s'est enrichi formidablement. Un génie est né, une beauté est apparue (je sens mes chevilles qui gonflent, qui gonflent...). Oui, cette personne, cet extraterrestre tellement parfait, c'est moi. C'est moi qui suis née il y a seize ans de cela (purée ! ça passe vachement vite), c'est moi, c'est moi, c'est moi ! J'ai seize ans enfin ! Si je veux, je quitte l'école ! Déjà seize ans, seize ans que je m'éclate, je pleure et je pense. Seize ans ! Malheureusement, en seize ans je n'en ai eu que huit de parfait bonheur ! Parce que ensuite les jumelles sont arrivées. Enfin, faut pas exagérer. Elles sont mignonnes, sympas, et elles m'adorent ! Que demander de plus ?

La paix ! Seize ans...

Ça doit être dur à assumer, ça !

Bisous,

Lucie.

11 avril 1989

J'ai demandé aux parents si je pouvais quitter l'école. Ils ont répondu non (à vrai dire, je m'y attendais un peu !).

En fait, avoir seize ans, ça change rien. Ah si ! Ça change ! Maintenant je suis de corvée pour aller chercher les deux monstres à l'école ! Aujourd'hui, elles ont été insupportables ! J'en avais tellement marre que je les ai enfermées dans la cave. Je comprends toujours pas pourquoi maman et papa m'ont grondée ! Pourtant on ne les entendait plus ! Je trouve que maman exagère : elle a appelé le docteur pour voir si elles n'avaient pas chopé une maladie ! Il a dit qu'elles avaient une bronchite et qu'il fallait qu'elles restent au lit une semaine. J'aurais préféré qu'elles meurent, mais une semaine de tranquillité, c'est déjà bien ! Demain, finies les vacances de Pâques !

Lucie.

12 avril 1989

Rentrée des classes. Bien sûr, Lisa nous a fait l'honneur de sa somptueuse jupe ! On s'est tellement moqué d'elle que, je crois, elle ne la remettra pas de sitôt !

Il y a un nouveau dans la classe. Il s'appelle David. Il est arrivé pendant l'heure d'anglais. C'est un Canadien. Au fait, à propos du Canada, on va peut-être y aller pour les grandes vacances.

Je trouve que les parents ne me donnent pas assez d'argent de poche ! Je leur en ai parlé et ils m'ont dit qu'après les cours je pourrais faire un petit boulot. Pour une fois, ils ont eu une idée pas trop vieux jeu !

Les jumelles ont 40,5 de fièvre ! Chic ! Enfin je n'entends plus le son de leurs petites voix fluettes ! En ce moment, j'apprécie la valeur du silence !

Bisous,

Lucie.

15 avril 1989

Catastrophe ! Horreur ! Les petites sont guéries. Maman, raison de sécurité, a préféré cacher les clés de la cave...

J'ai eu une note catastrophique à mon contrôle d'anglais : O ! Remarque, je ne peux que remonter ! Bien entendu, les deux saletés en ont profité pour rappeler à papa que lorsqu'on avait une note en dessous de la moyenne, on était privé de sortie pendant huit jours ! Ça tombe mal, Lisa organise une boum samedi. Enfin, je me débrouillerai bien pour trouver un moyen d'être graciée de cette terrible pénitence !

Sur ce, gros bisous,

Lucie.

16 avril 1989

Voici quelques moyens pour être excusée et pouvoir aller samedi chez Lisa :
— faire la grève de la faim,
— pleurer pour attendrir les parents,
— faire une fugue,
— menacer de me suicider,
— être adorable jusqu'à vendredi soir,
— avoir 20 à mon prochain contrôle.

Je crois que je vais opter pour la première solution ! Ça va être dur ! Enfin, maintenant que je suis une vieille de seize piges, je suis capable de tout !

Bizzzz...

Lucie.

17 avril 1989
(Veille de la boum de Lisa)

Aïe ! Ouille ! Aïe !... J'ai le ventre qui gargouille ! C'est dur de ne rien boire ni manger. Tout à l'heure, j'ai failli craquer quand j'ai vu les deux terreurs en train de dévorer des pains au chocolat, mais je me suis forcée à résister. Côté parents, c'est pas la joie ! Ils me supplient de manger et je leur dis que je daignerai leur obéir seulement s'ils m'autorisent à aller chez Lisa, mais je crois qu'ils vont céder car je les ai surpris pendant une conversation. Voilà ce qu'ils se disaient :

Maman : « La pauvre... nous devrions accepter...

Papa : — Pas question !

Maman : — Pourquoi ?

Papa : — Parce que si Prune et Étoile (ce sont mes sœurs) voient que ça marche, à chaque punition elles feront la grève !

Maman : — Ce n'est pas une raison pour la laisser mourir de faim !

Papa : — J'hésite beaucoup.

Maman : — Moi pas. Excusons-la !

Papa : — Elle a un 0, c'est grave !

Maman : — Elle a maigri d'un kilo, c'est plus grave !

Papa : — OK !... OK !... Je vais réfléchir.

Maman : — Pardonne-lui !

Papa : — Oui, bon, d'accord ! Elle pourra aller à sa boum ! »

Bisous,

Lucie.

18 avril 1989

Je suis allée à la boum de Lisa. C'était très décevant ! Sur le chemin du retour, je suis tombée. Qu'est-ce que j'ai mal, je suis sûre d'avoir une fracture. Super-réaction des parents ! Maman est tellement inquiète qu'elle n'a même pas annulé son cours de bridge ni celui de couture ! Le pire, c'est qu'elle m'a demandé d'aller faire les courses ! Je lui ai répondu que j'avais la jambe cassée et elle a répliqué que je n'avais qu'à me débrouiller.

Quant à papa, c'est comme si je n'existais pas !

Sincèrement, les parents, ils exagèrent à mort !

Quand je serai guérie, j'aurai une petite discussion avec eux.

Salut,

Lucie.

20 avril 1989
(Anniversaire de mon chien Sapotille)

En fait, je n'ai pas la jambe cassée, c'est juste une grosse entorse ! Les parents se préoccupent toujours autant de moi ! C'est fou comme ils sont réconfortants ! Je leur ai demandé s'ils m'aimaient, et ils m'ont répondu : « Oh ! écoute ça va... T'es notre fille, on assume... » Alors j'ai pleuré. Pour une fois les deux teignes ont été un peu sympas ; elles sont venues me consoler mais ça n'a pas duré longtemps parce qu'après elles se sont aperçues que mon lit est à ressorts, alors elles ont sauté dessus. Je suis triste : premièrement pour mes parents qui ont cassé mon cœur, deuxièmement pour mes sœurs qui ont cassé mon lit !

Bises sanglotantes,

Lucie.

21 avril

Snif, snif, snif ! Les parents sont toujours hyper attentionnés à mon égard ! Ils ne préparent même plus à manger ! Ils disent qu'à seize ans je dois être autonome.

Alors j'ai trouvé qu'ils exagéraient et j'ai décidé de faire une fugue. Comme ça, ils seront tranquilles ! Mon départ secret est fixé pour le 24. C'est-à-dire dans trois jours. Tant pis si mon entorse me fait mal. J'ai chargé Lisa de leur remettre une lettre après mon départ. Je ne sais pas encore de quoi elle va parler mais enfin...

Je suis morte de peur. Lisa trouve que j'ai eu une très bonne idée et que comme ça les parents verront à quel point ils ont été odieux envers moi.

Bises angoissées,

Lucie.

22 avril

Plus que deux jours avant la fugue. Plus j'y pense, plus je tremble. J'ai composé la lettre que Lisa devra remettre aux parents huit heures après mon départ (j'ai décidé de partir à 3 heures du mat', donc huit heures après, ça fait 11 heures du matin. C'est raisonnable. Voilà ce que dit cette fameuse lettre :

« Chers parents,

« J'ai décidé de partir de la maison parce que je m'y sens mal. J'ai l'impression de ne pas être aimée et je crois que ce n'est pas qu'une simple impression. Je reviendrai sûrement mais seulement quand je serai autonome (financièrement et mentalement). Si vous voulez de mes nouvelles, adressez-vous à Lisa. Je lui écrirai le plus souvent possible mais ne comptez pas sur elle pour vous dire mon adresse. Si je tourne mal, ça ne sera pas de votre faute, mais si je réussis, ça ne sera pas du tout grâce à vous ! Malgré les méchancetés dont j'ai été victime, je ne vous en veux pas. Je n'irai pas jusqu'à dire que je vous aime, mais presque ! Embrassez les deux calamités pour moi.

« Lucie. »

Pas mal, non ? Un peu vache sur les bords, mais il faut bien marquer le coup !

Bisous réjouis,

Lucie.

23 avril
Jour F – 1

Voici ce que j'emporte dans ma valise :
— mon journal intime,
— un jean,
— une minijupe,
— deux tee-shirts (un blanc, un noir),
— un sweat-shirt,
— un gros pull,
— une paire de ballerines noires,
— deux culottes, deux paires de chaussettes et une paire de collants noirs,
— un savon,
— une brosse à dents,
— un dentifrice,
— un stylo,
— ma trousse de maquillage et ma trousse de boucles d'oreilles.

Voilà. J'ai mis dans la valise le strict minimum.

Bisous prévoyants,

Lucie.

24 avril

(Jour F)

Je suis sur le bord de la route en train de faire du stop. Il est 5 heures du mat'. Voilà comment la fuite de la maison s'est passée.

10 heures du soir : je vais me coucher.

11 heures du soir : les parents dorment.

Minuit : je me lève, je vais vérifier si les petites dorment, je me recouche.

Minuit et demi : j'hésite. Je me dis que je suis folle et qu'il vaudrait mieux abandonner mon projet de fugue.

Minuit 35 : je décide de continuer. Je fais ma fugue.

Minuit 40 : je règle mon réveil pour qu'il sonne à 2 heures du mat'.

Minuit 45 : je dors.

2 heures du mat' : réveil en sursaut.

2 h 5 : je me lève.

2 h 10 : je m'habille. Mon jean noir, sous-pull noir, pull bleu, chaussettes Burlington, paire de tennis noires.

2 h 20 : je pleure.

2 h 30 : je me console.

2 h 31 : je prends ma valise qui était cachée sous mon lit.

2 h 40 : je pénètre dans la chambre des parents,

je prends le porte-monnaie de maman et je pique 500 francs.

2 h 50 : je décide d'emporter mon parfum. Je le mets dans ma valise.

2 h 59 : j'enfile mon blouson.

3 h : je vais faire pipi.

3 h 5 : je pars.

3 h 10 : un automobiliste me prend dans sa bagnole. Il me dit d'attacher ma ceinture.

3 h 11 : nous roulons.

3 h 20 : quelle chance, il n'est pas bavard !

3 h 30 : j'ai sommeil. Je m'assoupis.

4 h 40 : le type me réveille.

4 h 45 : il me dit qu'il est arrivé. Je lui dis merci pour le stop.

4 h 50 : il me dépose. Je suis dans les environs de Deauville.

5 h : je prends mon journal et j'écris.

Et voilà.

Bisous fugueurs,

Lucie.

25 avril

Je suis à Deauville. Je suis très déçue ! C'est pas si beau que ça !

J'ai écrit à Lisa. Tiens, je me demande comment les parents ont réagi. Tout est très cher à Deauville, donc c'est pas très facile de bouffer ! Enfin, je me débrouille.

A midi, je suis entrée dans une brasserie ; il y avait une bande de voyous qui jouaient au flipper. Moi, je me suis assise dans un coin et j'ai commandé un sandwich crudités sans faire attention à ces garçons. Au bout de quelques minutes la serveuse est descendue dans la cave. La troupe de blousons noirs s'approche de moi, m'examine, et l'un d'eux, qui était à mon avis le chef, s'assied en face de moi en faisant signe aux autres de se taire. Question allure, on dirait Bernardo de *West Side Story*. Voilà ce qu'il me dit :

« Bonjour ! Nous sommes les Strongs, la bande la plus terrible ! Nous sommes les rois de Deauville, tu entends ? Tout le monde nous craint et toi aussi ! Nous trouvons que c'est un manque de respect envers les "souverains des coins noirs" que d'entrer dans les mêmes endroits qu'eux sans trembler comme une feuille !

Moi : — Excusez-moi ! Et maintenant, dégagez ! Je suis peut-être pas la reine de Deauville ni celle des "coins noirs", mais j'aimerais bien manger tranquille !

Le chef : — Je m'appelle Nick. Ça va, t'as du courage ! Tu es donc excusée. Dis-nous merci.

Moi : — Non !

Nick : — En plus, t'es têtue ! Au fait, comment t'appelles-tu ?

Moi : — Lucie.

Nick : — Je n'aime pas ce prénom. Est-ce que je peux t'appeler Vénus ?

Moi : — Je veux bien, si ça t'amuse !

Nick : — Je suis le chef des Strongs, donc l'empereur de Deauville. Veux-tu faire partie de la bande ?

Moi : — Ouais, OK ?

Nick : — Bon, alors rendez-vous demain à la même heure.

Moi : — Où ?

Nick : — Chez Miqèh.

Moi : — Je ne sais pas où c'est.

Nick : — C'est un bar qui donne sur la plage.

Moi : — Ça s'appelle *Chez Miqèh ?*

Nick : — Non, on l'a baptisé ainsi mais en fait c'est...

Moi : — Chut ! Je ne veux pas le savoir ! J'aime bien le nom que vous avez donné à ce café, un point c'est tout ! Allez, au revoir !

Nick : — Salut ! »

Je sors de la brasserie. Il a l'air sympa, Nick ! Je suis pressée d'être demain.

Ce soir, je dors sur la plage.

Bisous à la belle étoile,

Lucie.

26 avril

Je l'ai cherché, ce café ! Parce que, à Deauville, des bars qui donnent sur la plage, il n'y a que ça ! Enfin, après avoir fait le tour de tous ces troquets, j'ai fini par trouver ! Quand je suis entrée, j'ai demandé si c'était bien ici *Chez Miqèh*. Ils m'ont répondu affirmativement alors je leur ai demandé si Nick était là et ils m'ont répondu qu'il ne devrait pas tarder à arriver. Je me suis assise et j'ai attendu. Dès que Nick a poussé la porte du bar, la serveuse a rangé la caisse et est descendue au sous-sol, le patron a fait de même et les quelques clients qui étaient là sont partis.

Moi : — « En effet, tu sèmes la terreur !

Nick : — Je sais. Bon, fais-tu partie de notre bande ?

Moi : — Oui, oui, oui et oui !

Nick : — Bien, super ! Alors nous sommes trois garçons. Tu seras la seule fille !

Moi : — Trois garçons ! Vous n'êtes pas nombreux !

Nick : — J'ai dit trois, enfin trois à temps complet ! Mais il y a dix à onze mecs qui chaque été viennent à Deauville et qui, chaque été, deviennent des Strongs.

Moi : — Et toi, tu habites à Deauville ?

Nick : — Non, à Trouville, mais c'est presque pareil ! Où on pourra te joindre ?

Moi : — Euh... C'est-à-dire que... Enfin, autant dire la vérité ! J'ai fait une fugue il y a quelques jours. J'habitais à Paris.

Nick : — Une Parisienne et une fugueuse ! Je suis bien tombé ! Enfin, quoi qu'il arrive, il faut que tu saches que les Strongs seront toujours avec toi !

Moi : — Merci, Nick ! Merci aux Strongs ! »

Soudain un gamin surgit en criant : « Les flics, les flics sont là ! »

Nick, très calmement, lui demande pourquoi et il répond que les poulets cherchent une fille de seize ans, fugueuse, du nom de « Lucie Panthère ». Nick ordonne au gamin de se tirer et se retourne vers moi :

Nick : « C'est toi ?

Moi : — Oui. Qu'est-ce que je vais faire ? Oh ! mon Dieu, c'est foutu !

Nick : — Foutu pour les Strongs, mais pas pour toi ! Il faut que tu quittes Deauville le plus vite possible, tout de suite même ! Allez, salut ! C'est dommage ! Je t'aimais bien.

Moi : — Moi aussi je t'aime bien ! Ça me fait de la peine de partir. Et si tu venais avec moi ?

Nick : — Je suis responsable des Strongs et je ne peux les abandonner. Sans rancune ?

Moi : — Sans rancune !

Nick : — Allez, salut !

Moi : — Bye bye ! »

Et voilà pourquoi je me retrouve sur l'autoroute !

Lucie.

29 avril 1989

C'est beau, la vie ! C'est beau, la vie et yé yé yé ! Je suis contente, contente, contente, contente ! Hier, alors que je faisais de l'auto-stop, une Cadillac blanche extra-démentielle s'arrête devant moi. Le mec qui était au volant me fait signe de monter. Une fois dans sa bagnole, il me propose une boisson. Il ouvre un minibar et me sort un Coca que je me suis empressée de boire ! Ensuite le bonhomme me demande si je veux écouter de la musique ? Je lui réponds « oui » ; alors il ouvre un tiroir où se trouvent au moins cent vingt cassettes ! J'en choisis une (celle d'Elvis Presley) et je commence à chanter avec la chanson ! Une heure plus tard, je lui demande sa profession. Il me répond qu'il est metteur en scène. Je lui avoue que mon rêve est de devenir actrice et il me jure de faire quelque chose pour moi ! Ensuite il me demande ce que je fais là. Alors je lui réponds que je suis orpheline. Je sais qu'il ne m'a pas crue, mais enfin. Puis nous arrivons chez lui. C'est un canon-château ! Il descend de la voiture et me dit au revoir. Au bout de quelques mètres, j'éclate en sanglots. Alors M. Narac (c'est le nom du mec) accourt vers moi, me console et m'invite à passer un séjour aussi long que je le désirerai chez lui. Je n'ai jamais été plus heureuse !

Sa maison est gigantesque et magnifique à la fois ! Elle fait 1 200 mètres carrés. M. Narac m'a confié que même lui se perdait dans cette habitation et il m'a vivement conseillé de prendre une grande chambre de 100 mètres carrés. J'ai jamais vu une piaule aussi luxueuse !

Bisous de riche !

Lulu.

30 avril 1989

Au fond, j'ai toujours eu la tête et les jambes « fugueuses » ! A deux ans, je suis partie de chez moi !

C'était un après-midi d'été. Papa arrosait les géraniums sur le balcon tout en réfléchissant aux mots croisés du *Nouvel Observateur* et maman blablatait avec ma cousine d'Amérique sur un sujet intellectuel : quel rouge à lèvres convient le mieux à une robe jaune ? Enfin...

Toujours est-il que maman croyait que j'étais avec papa et papa pensait que j'étais avec maman...

En fait, moi, j'étais toute seule et j'avais décidé de me barrer.

La porte était ouverte (à cause de la chaleur). J'en ai profité pour partir... Ma fugue a été brève car la concierge de l'immeuble d'en face m'a reconnue et m'a ramenée chez moi illicopresto : quelle pouffiasse ! C'est quand elle m'a déposée à la maison que mes parents se sont rendu compte que je m'étais tirée... Ils m'ont administré une énorme baffe. Même un boxeur n'en a jamais pris une si monumentale... Mais j'ai pas pleuré. Déjà, à deux ans, j'étais trop fière pour pleurer devant eux. Alors je suis partie me pieuter. Ainsi s'acheva ma première fugue. N'empêche que je crois que les parents ont été rudement soulagés de m'avoir récupérée : comment auraient-ils pu expliquer aux voisins qu'à deux ans je me sois fais écraser par une voiture ?

Bisous qui se souviennent,

Lucie.

1er mai 1989

Narac est très stressé ! Il ne trouve pas d'actrice qui lui convienne pour son nouveau film. Nous sommes à Grenoble. J'ai un peu visité la ville. En faisant du shopping, j'ai trouvé un sweat-shirt avec comme inscription : « I'm a Strong ! » Je l'ai acheté ! Puis j'ai vu d'affreuses minijupes jaunes fluorescentes. J'ai illico pensé à Lisa. Au fait, il va falloir que je lui écrive ! Je lui laisserai l'adresse de Narac pour qu'elle puisse me répondre. Ce matin, Narac m'a demandé si j'étais véritablement orpheline et je lui ai tout avoué. Il m'a dit que je devrais prévenir mes parents. Je lui ai répondu un « NON » clair et franc ! Il n'a pas insisté. Quand même... Les parents ont prévenu les flics pour qu'ils me retrouvent.

M'aimeraient-ils un peu ?

Bisous songeurs,

Lucie.

6 mai 1989

J'ai écris à Lisa. Elle m'a répondu. Voici sa lettre :

« Hello ! Vieille branche fugueuse !

« Je suis contente que tu ailles bien ! C'est pas le cas de tes vieux ! Tu sais, ta mère est comme folle et ton père se bouffe les ongles et n'arrive plus à dormir ! Quand je leur ai donné ta lettre d'adieu, je ne sais pas si c'est à cause de mes cheveux lâchés et de ma jupe courte, mais ils m'ont dit qu'ils n'étaient pas surpris que je sois dans le coup et que si tu ne m'avais pas fréquentée, tu n'en serais sûrement pas là. Je ne leur en veux pas. Leur réaction était humaine.

« A l'école, on ne parle plus que de toi. Tu as même un fan-club, trois adhérents, d'accord, mais un fan-club c'est un fan-club !

« Mon Dieu, si tu savais comme tu me manques ! Les jumelles me demandent de tes nouvelles. Elles passent leurs journées à chialer. Je pense que tu devrais leur écrire (à tes sœurs et à tes parents).

« Alors te voilà bien tombée ! Elle est si bien que ça, la baraque du Narac ? C'est vrai qu'il est metteur en scène ? Tu pourrais pas lui parler de moi ? Me faire un peu de pub, quoi ! Je vais tacher de te récrire bientôt.

« Bisous inspirés,

« Lisa. »

Elle est trop, cette Lisa ! Ah ! la la ! Vais-je écrire aux parents ou pas ? Ma conscience n'est pas très fière. Je suis lâche... Il faut que je leur écrive. Oui, il le faut ! Je leur dirai que je les aime, qu'il ne faut pas qu'ils s'inquiètent, que je suis chez quelqu'un de très bien, que je ne leur en veux pas, que je m'excuse d'avoir piqué 500 balles à Mum, qu'il ne faut pas qu'ils en veuillent à Lisa : elle n'y est pour rien ! Qu'ils arrêtent d'essayer de me retrouver et qu'ils disent aux flics de cesser leurs recherches.

Bisous joyeux,

Lucie.

9 mai 1989

Je suis à Cannes. C'est là que Narac doit tourner son prochain film. C'est magnifique ! Cannes ! C'est splendide ! Nous sommes à l'hôtel. Narac n'a toujours pas trouvé d'actrice principale. Il est très nerveux. J'essaie de le détendre mais en vain.

De temps en temps, je pense à Nick et aux Strongs, je pense aux nuits passées sur l'autoroute, je pense à la fuite, je pense aux parents (au fait, je leur ai écrit). Souvent, il m'arrive de songer à avant, aux jumelles, à l'école, à Lisa, aux mecs, aux copains, à la maison, aux doux et heureux moments que j'ai vécus avec ma famille et mes amis. Je les regrette tous... J'ai été folle de partir...

J'adore Narac mais il lui est impossible de remplacer à lui tout seul tout ce que j'avais avant. N'empêche que, sans Narac, qu'est-ce que je serais à présent, où serais-je ?

Ah ! la la ! Et puis même mes deux sœurs, les terreurs, me manquent ! C'est trop calme ici ! Je veux revoir mon chien, je veux revoir Lisa, je veux revoir ma famille, je veux les revoir. Ouh... Voilà que je commence à chialer !

De ma fenêtre, je vois la mer, si bleue, si belle. Le sable, si doré, si beau, si chaud. Les oiseaux, si joyeux, si heureux. Ah ! que la terre serait paradis pour moi si je n'avais tant de soucis ! Si j'étais bien et tranquille comme Lisa ! C'est peut-être pour ça que je l'aime. Parce qu'elle est tout ce que je ne suis pas, tout ce que je voudrais tant être. Et la mer si bleue si bleue. On a envie d'y plonger... On a envie d'y mourir...

Lucie.

21 mai

Narac m'a proposé le rôle principal pour son film ! J'ai lu le scénario. C'est l'histoire d'une petite fille juive que son père s'est entêté à élever comme un garçon. Elle ne sortait jamais. Lorsqu'elle a dix-sept ans, c'est moi qui entre en jeu, son paternel meurt. Elle se retrouve seule face à la vie. Elle va dehors. Elle a le comportement d'un garçon. Et l'histoire se développe. Ça se termine lorsque la guerre de 40 éclate et on la voit qui s'engage dans l'armée. La fille s'appellera Rivka (c'est Rébecca en hébreu). Ce qui m'embête, c'est que je vais être obligée de me couper les cheveux pour tourner le film ! Ah ! ça non ! Jamais je ne me séparerai de ma chevelure ! Plutôt crever ! Tant pis, je mettrai une perruque ! Narac m'a dit qu'il fallait que j'aie un pseudonyme.

Bisous de star !

Lucie.

22 mai 1989

J'ai reçu une lettre de Lisa qui me dit que les parents vont beaucoup mieux depuis que je leur ai écrit.

Voici une liste des prénoms de fille que je préfère ; il faut que j'en choisisse un pour mon pseudo. Donc voici la liste :

— Mélodie,
— Emmanuelle,
— Étoile (comme ma sœur),
— Ingrid,
— Jade,
— Laure,
— Lorraine,
— Myrtille,
— Pénélope,
— Rachel,
— Suzon,
— Valentine,
— Vénus (les Strongs).

Bisous,

Lucie.

23 mai 1989

J'hésite entre Suzon et Vénus. Suzon... Vénus. . Suzon ? Vénus ? Je crois que je vais choisir Suzon car Vénus n'appartient qu'aux Strongs et à Nick, et puis Vénus, ça fait trop prétentieux ! Et puis Suzon, c'est mimi, c'est sympa ! Suzon, Suzon, ouais, ça me va bien. Au fait j'ai oublié de dire le titre du film : *Question d'éducation.* C'est sympa, gentil et tout et tout !

Suzon, Suzon, va falloir que je m'y habitue ! Narac m'a affirmé que le mieux est de me faire appeler Suzon partout et tout le temps. Oh ! Je vais devenir une star ! Enfin, j'espère ! J'ai écrit à Lisa et j'ai posté un petit mot aux parents. Les parents ont arrêté les recherches avec les flics.

Bisous heureux,

Lucie... qu'est-ce que je dis ? Suzon.

25 mai 1989

Bicentenaire oblige, Narac m'emmène voir un film : la Révolution française vue par Hollywood : c'est *Marie-Antoinette* en version originale, natürlich. Il veut tester ma culture ou quoi ?

C'est vachement beau, Marie-Antoinette est émouvante, on voudrait lui pardonner, pardonner à Louis XVI, on adore leurs mômes et on déteste tous ces gens qui veulent vivre mieux. Mais je ne lui dirai rien de tout ça. Je veux qu'on m'aime pour mon visage et pas pour ce qui tourne dans ma tête.

Alors, je lui ai seulement dit :

« Je ne savais pas que Louis XVI parlait anglais. En tout cas, il a dû avoir un bon prof ! »

Il lève les yeux au ciel. Je crois que je le désespère !

Bisous idiots,

Lucie-Suzon.

27 mai 1989

Je ne sais pas si c'est pour lui ou pour les journalistes, mais Narac veut que je fasse mon portrait moral... Alors j'ai décidé de lui dire ce que j'aime et ce que je n'aime pas.

J'aime les animaux,
j'aime les bateaux,
j'aime ma famille,
j'aime la musique,
je n'aime pas les motos,
j'aime les photos,
j'aime la paix,
j'aime la vie,
j'aime Paris,
je n'aime pas l'injustice,
je n'aime pas l'hiver,
j'aime l'été,
j'aime les vacances,
je n'aime pas l'hypocrisie
mais j'aime jouer la comédie,
j'aime le cinéma,
j'aime pas la haine,
je n'aime pas trop lire,
j'aime écrire,
j'aime dessiner,
j'aime rire,
je n'aime pas pleurer,

j'aime la mer,
je vénère ma mère,
j'aime la forêt,
j'aime les fêtes,
j'aime peindre,
j'aime les bébés,
mais j'aime pas les changer,
je n'aime pas trop parler,
j'aime la Méditerranée
avec ses marchés,
j'aime la Martinique
avec sa gaieté,
j'aime les Ardennes
avec leur austérité,
j'aime mon village,
je n'aime pas les embouteillages,
j'aime pas l'argent
mais j'aime les beaux appartements,
j'aime réussir
mais... j'aime pas travailler.

Voilà. J'espère qu'avec cela il me comprendra mieux. C'est sûr qu'il va s'étonner quand il lira « Je vénère ma mère »... Mais c'est vrai que je l'adorais. Je l'aimais et je l'aime toujours, cette saleté ! Pourquoi maman se fichait tellement de moi ? M'en voulait-elle parce qu'à cause de moi elle a perdu sa ligne de jeune fille ? Je ne pense pas. Peut-être est-ce parce qu'elle voulait un fils ? Je ne pense pas. Alors pourquoi, pourquoi cette indifférence ? Le jour où je comprendrai je pourrai retourner à la maison.

Bisous qui aiment et qui n'aiment pas,

Lucie-S.

1er juin 1989

Le tournage a commencé depuis une semaine. Les acteurs sont très aimables et très patients avec moi. Je vais même chanter la chanson du générique ; ça me double le boulot, mais c'est égal, je suis heureuse !

Le matin, je me lève vers 10 heures (grasse matinée tous les jours), puis je prends mes cours particuliers : français, maths jusqu'à midi ; ensuite je déjeune puis de nouveau une heure de cours (anglais), et à 15 heures je dois me rendre au studio jusqu'à 18 heures pour répéter. Quand je rentre à la maison, j'ai encore deux heures de cours : physique et biologie, et enfin dessin et chant. Tout ça pour dire que Narac fait attention à mes études ! A 10 heures, je dîne, et jusqu'à minuit je suis libre. Narac exige que j'aille me coucher au plus tard à minuit. Mes nouveaux profs ne me donnent jamais de devoirs. Au fait, je me suis fait deux amis de mon âge : Jane et Rémi.

Lucie-Suzon.

2 juin

Salut, cher journal,

Hier je t'ai parlé de deux nouveaux amis, Jane et Rémi. Il faut que je te les décrive. Tout d'abord Jane. Elle a dix-sept ans, elle est un peu petite pour son âge et relativement potelée. Son visage est troué de deux grands yeux vert très pâle ; elle a un nez retroussé et une bouche tout aussi commune que ledit nez ! Elle a de bonnes grosses joues roses, toujours le sourire aux lèvres, un teint de neige (rosée !) et des cheveux très courts, très bouclés, très blonds (enfin le contraire des miens, quoi !). Son physique ne correspond pas du tout à son caractère. En la voyant, les gens doivent penser : « Quelle adorable créature ! Comme j'aimerais l'avoir pour fille ! Elle a l'air si gentille, douce et patiente ! Quelle charmante enfant ! » La première fois que je l'ai vue, c'est en effet ce que j'ai cru, mais en fait, sous ses airs de petit ange modèle se cache un diable rusé, drôle et sympathique ! Enfin, je sens qu'on va former une sacrée bande, elle, Rémi et moi ! Bon, maintenant, décrivons Rémi : Il a seize ans, est un tout petit peu plus petit que moi (en taille). Il a de grands yeux bleus en amande, un nez droit et une petite bouche. Il a le teint mi-mat mi-blanc ! Ses cheveux sont un peu longs et pas très bien coiffés ! Il est toujours vêtu de jeans et il a un léger cheveu sur la langue. Son caractère colle bien avec le mien et celui de Jane, mais il est plus timide. Quand je l'ai vu pour la première fois, j'ai pensé que Nick s'entendrait bien avec lui, mais après mûre réflexion, je me suis dit qu'ils n'étaient vraiment pas semblables ! Rémi ne cherche pas à impressionner et à faire trembler les gens. Il réfléchit beaucoup à avant, à plus tard, à sa vie. Nick, lui, voudrait que le monde entier ait peur de lui. Il ne se pose pas de question ! Il vit et c'est tout.

Jane et Rémi sont frère et sœur. D'après eux, ce sont les meilleurs amis du monde ! Alors j'ai pensé aux jumelles, à mes sœurs, aux terreurs, quoi ! On ne peut vraiment pas dire que nous étions liées comme les doigts de la main ! Il faut dire qu'on avait une différence d'âge trop importante. Mais elles deux, ensemble, s'entendaient parfaitement canon laserement démentiel extra-bien ! La preuve, toutes les conneries qu'elles font, c'est ensemble ! On n'en voit jamais une sans l'autre, un peu comme Lisa et moi, quoi ! Et peut-être que Rémi, Jane et moi serons pareils ! Enfin j'espère ! Le film avance. Ah ! je t'ai pas dit où je les ai rencontrés : ce sont les enfants d'un des cameramen. Ils m'ont dit que j'avais de la chance de tourner un si génial superfilm !

Bisous de copains,

Lucie-Suzon.

7 juin 1989

Chouette ! Pour le film, je dois tourner une séquence aux Antilles ! Je pars dans une semaine. Jane et Rémi viennent aussi. Nous coucherons au PLM de Fort-de-France, préfecture de la Martinique. Jane veut faire un régime pour pouvoir se mettre en maillot de bain sur la plage sans avoir trop honte !

Hier, Rémi m'a fait goûter ma première cigarette. Bon sang, ça fait du bien ! Ça relaxe, c'est agréable ! En une journée j'ai fumé presque tout un paquet. Purée, le soir, j'étais morte ! J'avais mal au ventre, à la tête, j'ai vomi et tout et tout. Ce matin, Rémi m'a conseillé de ne plus avaler la fumée ! Je lui ai répondu qu'il aurait pu me le dire plus tôt et que ça m'aurait évité pas mal de problèmes ! Il m'a appris que Jane passe ses nuits à fumer dans les chiottes et que le matin elle met de l'eau de Cologne partout, et qu'elle en avale même un peu pour son haleine. Je ne vois guère Jane en ce moment car elle passe son temps dans les cours de gym pour son régime ! Elle est trop, cette nana ! Rémi m'a présentée à sa petite copine. Elle est mignonne mais n'a rien dans la tête ! Je crois qu'il n'est pas vraiment amoureux d'elle. Tant mieux ! Encore un peu, j'étais jalouse !!!

J'ai demandé à Narac si je pouvais passer un week-end à Deauville. Il m'a demandé pourquoi et je lui ai répondu que j'avais là-bas des amis déments que j'aimerais bien revoir. Ah ! Les Strongs ! Nick ! Je crois que Rémi fait de l'ombre à Nick...

Bon allez, salut !

Bisous de Deauvillienne, fumeuse, Martiniquaise !

Suzon-Lucie.

8 juin 1989

Cela fait juste deux mois que j'ai commencé à écrire ce journal intime.

J'ai raconté à Rémi (pas à Jane, elle était à son cours de musculation!) ma fugue, le voyage, Deauville, la rencontre avec Narac... Evidemment, j'ai bien insisté sur les Strongs et surtout sur Nick, mais j'avais beau le regarder, je n'arrivais pas à percevoir une lueur de jalousie dans ses yeux ! Ça m'aurait fait tant plaisir ! Pas une grosse crise sentimentale, non, mais simplement qu'il envie un peu, un tout petit peu, Nick! Je lui ai aussi raconté avant, Lisa, les deux calamités, les parents, l'école, les mecs, la maison, les oncles, les tantes, avec leurs problèmes de gamins : « Va-t'il passer au CP ou pas ? », les copines de maman, des heures au téléphone à se plaindre de leurs situations, raconter leur dernier flirt, comment elles avaient plaqué le précédent, la cousine d'Amérique qui passe sa vie à essayer de se suicider, grand-mère qui se demande encore si grand-père (quatre-vingt-huit ans) la trompe et le chien qui ne veut manger que de la nourriture pour chat, etc. Puis ce fut au tour de Rémi de raconter sa vie. Sa famille est beaucoup moins marginale que la mienne!

Ces deux derniers jours, j'ai séché les cours.

Narac les a annulés jusqu'à ce que je revienne de Martinique ! Au fait, il accepte que je passe un week-end à Deauville ! Rémi m'a dit qu'il me trouvait complètement conne de m'attacher tellement aux Strongs alors que je ne les avais fréquentés que deux jours ! Il a ajouté que, peut-être, Nick avait trouvé une autre nana. J'ai flippé et un peu chialé ! Puis je me suis disputée avec lui : il disait ça parce qu'il était jaloux. Alors il est parti en claquant la porte. J'ai encore plus pleuré. J'espère qu'il n'est pas trop fâché ! Pour me changer les idées, j'ai révisé à mort le scénario !

Et puis, j'ai pleuré, j'ai pleuré...

Bisous tristes,

Lucie-Suzon.

9 juin 1989

Je me suis réconciliée avec Rémi. Jane a réussi à se libérer de sa gym pour que nous puissions aller acheter des fringues en vue de la Martinique ! Voici ce que j'ai acheté : une jupe vichy à carreaux blancs et mauves, quelques tee-shirts, une paire de ballerines mauves, un maillot de bain hyper mimi, un pantalon de toile blanc, un short en toile, un gilet long super léger, une robe madras, une chemise de plage rigolote qui arrive aux genoux, une serviette de bain assortie à mon maillot, un tee-shirt bouffant blanc à pois noirs qui arrive au-dessus du nombril, un bermuda, un pantalon de toile noir à rayures blanches, un pantalon de toile blanc à rayures noires, ballerines assorties aux pantalons à rayures. Et voilà ! La pauvre Jane ! Son tour de taille n'a pas diminué d'un centimètre ! Alors pour le maillot de bain ! Elle a essayé tous les une-pièce et les strings possibles et inimaginables dans tous les magasins de la ville. Finalement, elle en a trouvé un de maillot ! En fait, c'est un caleçon ! Il est joli, sans plus. Rémi, lui, n'est pas venu avec nous. Il pense que lorsqu'on entre avec une bonne femme dans un magasin de fringues, on peut s'asseoir, lire un bouquin, dormir, et quand on se réveille, la nana est toujours en train d'essayer !

Bisous dépensiers !

Suzon.

10 juin 1989

Chaleur horrible ! Qu'est-ce que ça va être en Martinique ! Le film se termine ; il ne manque plus que la séquence qui doit être tournée aux Antilles. J'ai peur. Et si le film tournait mal, marchait mal ? Peut-être que le public va détester ! Si ça se trouve, je serai la risée de tout le monde ! Je vais être tout juste bonne à tourner pour des pubs de couches ! Oh ! la la ! je déprime... J'ai écrit à Lisa il y a deux jours. Sa réponse vient juste d'arriver. La voici :

« Bonjour !

« Ça va ? Moi oui ! Tu sais pas quoi ? David, tu sais, le Canadien qui était arrivé en classe au mois d'avril, eh bien, je suis allée au cinoche toute seule avec lui ! Jusque-là, rien d'extraordinaire ! Mais figure-toi que le cinéma a pris feu ! En me sauvant des flammes, il a été blessé. Il est à l'hosto. Je vais le voir chaque jour. C'est bien que tu te sois fait des potes ! J'espère que tu me les présenteras un jour. Alors ? Ton film avance-t-il ? *Question d'éducation...* Ouais, c'est bien comme titre ! Au fait, tu vas aux Antilles ? Quel cul ! Tiens ! Maintenant tu as quatre adhérents à ton fan-club !

« Bisous, Lisa.

« P-S : Suzon, j'aime ce pseudonyme !

Et voilà. J'adore les lettres de Lisa. Elle respire le bonheur, la joie de vivre, cette Lisa ! Je suis très fatiguée en ce moment. Ce matin, je me suis évanouie en plein tournage ! Il faut dire que ce n'est pas une vie que je mène là ! Me coucher à minuit pour commencer à 3 heures de l'après-midi ! Heureusement que Narac a décidé d'arrêter les cours !

Bisous épuisés,

Lucie-Suzon.

14 juin,
(Jour M – 1 !)

Demain = Martinique = soleil = bronzing = repos = mer chaude = ciel bleu...

Je me suis disputée avec Narac parce qu'il trouve que Jane et Remi sont de mauvaises fréquentations. Alors je lui ai dit qu'il n'avait pas d'ordres à me donner et qu'il n'avait pas à se mêler de mes affaires, vu qu'il n'était pas mon père ! Narac, hors de lui, m'a averti que juste après le tournage du film en Martinique, il me mettrait dans un avion, direction : chez mes parents, puisqu'il ne pouvait pas me donner de conseils ni m'élever ! J'ai eu peur et je lui ai fait des excuses ! Il les a acceptées mais il n'a pas changé d'avis ! Après le tournage, retour à Paris. Beurk ! Enfin... C'était trop beau ! Au fait, avec toutes ces émotions, j'ai oublié la lettre de Lisa :

« Salut, Suzon,

« David est guéri. Nous sommes retournés voir le film au cinoche qui, cette fois, n'a pas pris feu ! Je me suis acheté une nouvelle jupe. Elle m'arrive à mi-cuisses, elle est bleu marine avec des cœurs rouges et blancs ! J'adore cette tenue ! J'ai aussi pris le tee-shirt et les ballerines assortis. Je sais, je sais, tu n'as pas les mêmes goûts vestimentaires que moi ! Mais enfin ! Tu sais pas quoi ? Mes parents veulent bien que j'aille te rejoindre en Martinique. Il faudra que tu demandes à ton Narac s'il est OK pour que je vienne avec toi ! Ce serait génial ! Tu me présenteras Remi ! Jane aussi, mais surtout Remi ! D'après ta description, il me plaira !

« Salut,

« Lisa. »

Bisous,

Lucie-Suzon.

16 juin 1989

La Martinique, c'est splendide ! L'île aux Fleurs. La mer bleue et chaude et le soleil brillant. La plage qui a ma préférence est celle des Salines. La mer chaude et agitée, le sable d'or, les cocotiers et les palmiers. C'est le paradis !

Le tournage du film avance vite, trop vite ! Il faut que je te décrive les comédiens qui jouent avec moi. Premièrement celui qui est mon père : un vieux monsieur, 1 mètre 90, chauve, regard sadique, sourire méchant, mais il est hyper sympa ! Deuxièmement celle qui fait ma meilleure amie : une nana blonde, cheveux longs, yeux verts, bouche en rond, teint abricot, affreuse, hideuse, horrible ! En plus, elle est terriblement capricieuse. Il y a beaucoup d'autres acteurs mais eux sont les principaux avec moi. Jane et Remi sont là. Je ne te raconte pas les problèmes qu'a Jane avec ses maillots ! Côté Remi, il sort avec l'actrice, la blonde. Ça me fait mal au cœur ! Lisa n'a pas pu venir parce qu'elle se fait opérer de l'appendicite. Au téléphone, sa mère m'a raconté comment ça s'est passé : Lisa était avec David à la piscine quand soudain, plus de Lisa ! David affolé cherche partout dans la piscine : plus de Lisa ! En fait, elle était sous l'eau en train de se tordre de douleur ! C'est un nageur qui l'a remontée à la surface. Elle était sans connaissance. Le pauvre David l'a emmenée à l'hosto, les médecins l'ont réanimée et se sont aperçus qu'elle avait une crise d'appendicite ! Ce genre d'aventure n'arrive qu'à elle ! Moi, ma vie est trop simple, trop monotone ! (j'exagère un peu !).

Bisous,

Lucie-Suzon.

20 juin 1989

Impossible de me concentrer sur mon rôle. Impossible de retenir le scénario. Dois-je préciser que sur le plateau les gens passent leur vie à m'engueuler ? Mais je m'en fiche. Là où j'ai été blessée, c'est quand Narac s'est mis de la partie : des reproches et des reproches, un déferlement de haine, fallait voir ça !

Voilà en gros ce qu'il m'a dit :

Lui (Narac) : « Écoute, Lucie, tu es infernale ! Un gosse de quatre ans retiendrait son rôle, et toi, tu oublies, tu t'en fiches ! Mais tu ne comprends pas que ce film c'est important, merde !

Moi : — Oh, Narac ! Votre premier gros mot ! Ça se fête !

Lui : — Ton sens de l'humour et tout le bazar, il y en a marre ! On est tous excédés, usés, crevés, et toi, tu ne prends même pas la peine d'apprendre ton rôle ! Et ça, uniquement parce que mademoiselle préfère aller s'amuser avec ses amis !

Moi : — Ben oui, je préfère être avec mes copains plutôt qu'en compagnie d'un vieux croûton comme vous ! Ça n'est pas de ma faute si j'ai pas le temps d'apprendre par cœur ! Vous avez vu tous les cours que je me tape ?

Lui : — Oh ! ne te plains pas, s'il te plaît. Il y en a des plus malheureuses que toi !

Moi : — Je demande à voir ! Moi, j'ai... j'ai pas mes parents...

Lui : — C'est bien toi qui l'as voulu ! A la fin, je les comprends tes parents ! S'ils ne " t'aimaient pas ", il y avait bien une raison ! Et la voilà la raison, c'est que tu es chiante, comme la pluie ma petite vieille, c'est que tu es capricieuse, que tu es idiote, que tu es...

Moi : — Oh ! ça va ! Les injures, j'en ai ma dose, et puisque c'est ainsi, je me barre ! Maintenant j'ai l'habitude... Partie pour Deauville ! Adieu le film, adieu tout le monde ! Et vous aurez bien du mal à me trouver une remplaçante, et il faudra recommencer le film à zéro ! Voilà, salut ! Non, pas salut, carrément adieu !

Lui : — Calme-toi ! Moi aussi je me calme. J'ai eu tort de m'emporter ! Allez, reste !

Moi : — C'est trop tard, le mal est fait. Je pars.

Lui : — Commence pas ton cinéma...

Moi : — OK ! OK ! Je reste... Je reste... »

Voilà. Depuis cette dispute, les gens du film sont plus sympas envers moi.

Bisous un peu calmés,

Lucie-Suzon.

27 juin 1989

Pour une fois, pendant toute une semaine, il ne m'est rien arrivé de spécial ! Étonnant, n'est-ce pas ?

En ce moment, Jane dévore les poèmes de Rimbaud. Elle les apprend par cœur et me les récite. Écoute comme c'est joli :

« Voilà que monte en lui le vin de la paresse
Soupir d'harmonica qui pourrait délirer ;
L'enfant se sent, selon la lenteur des caresses,
Sourdre et mourir sans cesse un désir de pleu-
[rer. »

« Un désir de pleurer. » Génial, non ? J'ai relevé ces quatre vers à la fin des... *Chercheuses de poux*.

Beurk !!!

Bisous poétiques,

Lucie-Suzon.

28 juin

Bientôt retour à Paris ! J'espère de tout mon cœur que Narac a oublié ce qu'il m'avait dit (que je rentrerai chez mes parents une fois le film achevé !). Hier, nous avons visionné quelques scènes. Je me trouve horrible mais les autres acteurs-spectateurs m'ont assuré que j'étais splendide ! Alors que croire ? Je ne sais pas quand sort le film mais ça ne devrait pas tarder. Narac pense déjà au suivant. Il pousse son monde au maximum. Côté Lisa, elle est en convalescence.

Rendez-vous bientôt !

Bisous,

Lucie-Suzon.

12 juillet

Ouaouh !!!! Le film a fait un nombre d'entrées colossal ! A la télé, dans les journaux, à la radio, tout le monde dit que c'est un des meilleurs films de ces vingt dernières années !

Tous ces gens ont vu le film, et dire que c'est seulement le premier jour ! Narac est fou de joie ; moi aussi d'ailleurs ! C'est le délire total ! Narac me met dans le train : direction parents dans trois jours. Qu'est-ce que je vais trouver à leur dire, à mes vieux ? Ça fait tellement longtemps que je ne les ai pas vus ! Peut-être sont-ils vraiment devenus vieux, moches et tout et tout ! Et les jumelles ? Comment peuvent-elles bien être à présent ? Ah ! la la la la la la !

Bisous d'actrice,

Lucie-Suzon.

13 juillet 1989

Je viens de donner ma première interview. Sincèrement, les journalistes ne posent pas de questions très passionnantes ! Après m'avoir interrogée sur ma façon de m'habiller, de me coiffer et de me brosser les dents, ils m'ont demandé mes couleurs préférées, mes fleurs favorites, le livre qui m'a le plus touchée, et ainsi de suite.

Je me demande si ça intéressera quelqu'un ?

Un gros blond à lunettes, avec un costume clair et des chaussettes rouges, a quand même voulu savoir comment j'avais été engagée. Je n'allais certainement pas lui avouer que j'avais fugué, alors j'ai répondu la première chose qui m'est venue à l'esprit : que Narac était mon oncle ! Je ne sais pas s'il m'a crue, je le lirai dans son journal.

Bisous,

Lucie-Suzon.

15 juillet

Oui vraiment je vais gagner beaucoup d'argent. Je ne m'en plains absolument pas mais je me demande si ça peut faire des jaloux ? En tout cas, j'ai rempli mon contrat. Dans la lettre qui annonçait ma fugue aux parents, je leur disais que je reviendrais chez eux indépendante mentalement et financièrement. Eh bien, je crois qu'à présent je le suis !

J'ai reçu une lettre de Lisa. La voici :

« Hello !

« Tu sais, j'ai eu l'appendicite ! Il faut que je te raconte l'extraordinaire façon qu'a eue David pour me sortir du pétrin ! J'étais inanimée, mon bikini blanc à pois verts était déchiré, nous étions à la piscine, David n'avait pas un sou, et pourtant, il s'en est admirablement bien sorti ! A vrai dire, je ne sais pas comment il s'est débrouillé, mais toujours est-il qu'une heure après j'étais dans une salle d'opération ! Ça fait deux fois que David me sauve la vie ! Oui, c'est vraiment un héros !

« Alors, comme ça, tu vas revenir à Paris ? Remarque ! Ça me fait hyper plaisir ! Tu penses ! Ça fait si longtemps qu'on s'est pas vues ! Enfin quand je dis " on ", c'est plutôt " tu " ne m'as pas vue ! Parce que toi, entre les émissions de télévision, les posters, les hit-parades et tout et tout, on t'entend et on te voit partout ! Ah ! au fait, ton film est nul ! Mais non, je rigole ! Il est canon ! J'aime beaucoup la dernière scène où on voit en gros plan tes yeux turquoise !

« Bisous et à bientôt,

Lisa. »

« PS : tu as cent vingt adhérents à ton fan-club. »

16 juillet

Avec la chanson du film je suis entrée au hit-parade. J'en ai assez parce que je n'ai presque plus de vie privée !

Je fais un pas dans la rue et une foule de journalistes et de gens s'agglutine autour de moi. Je rentre chez moi et je découvre une vingtaine de personnes ou de paparazzi dans ma cage d'escalier ! Enfin c'est l'enfer des galaxies ! Demain : retour aux sources ! Papa, maman, les jumelles... Profitons de ma dernière journée de tranquillité !

Bisous,

Lucie-Suzon.

PS : Rémi a plaqué cette affreuse blondasse d'actrice !

19 juillet

Narac m'a mise dans le train pour Paris mais je n'étais pas enchantée de revoir papa maman !

Alors, quand le train s'est arrêté à Deauville, j'en suis descendue, et quand il a redémarré, je ne suis pas remontée. Je me trouvais seule, pleine de fric, dans une ville que je ne connaissais guère et dans une gare on ne peut plus affreuse ! Heureusement un admirateur s'approche ! Il me demande s'il peut m'emmener quelque part. Je le remercie mais je refuse car je ne connais aucune adresse. Je marche sur le petit port et je retrouve la petite brasserie où j'avais fait la connaissance des Strongs. Mais oui ! Suis-je bête ! Évidemment que j'ai une adresse ! Et une belle ! *Chez Miqèh,* le bistro des Strongs ! Allons-y.

Bisous,

Lucie.

21 juillet

Je suis allée *Chez Miqèh* et j'ai demandé si quelqu'un avait vu Nick. On m'a répondu négativement. Ensuite j'ai loué la meilleure chambre de cet hôtel-bar. Le temps de ranger mes affaires dans le grand placard et de me reposer un peu, et la serveuse est venue me prévenir que Nick était là. Alors je redescends dans le bar et je le vois. Lui et ses Strongs. Ils n'avaient absolument pas changé ! Toujours aussi beaux, toujours aussi terribles, toujours aussi gais, toujours aussi Strongs quoi ! Je ne savais plus comment me présenter. Et puis j'ai trouvé ! Je chante ma chanson et ils se retournent tous vers moi. Après, toute la bande des Strongs sort faire un tour en moto, sauf Nick. Il s'approche de moi et m'invite à boire un verre. Il commande une bière, alors je pense que je vais avoir l'air ridicule si je demande mon vulgaire lait-fraise ; donc je commande aussi une bière !

Beurk ! C'est dégueulasse ! Je suis allée tout recracher aux chiottes puis, une fois revenue, la discussion a commencé :

Nick : « Je te retrouve mais tellement différente ! La première fois que nous nous sommes vus, tu étais paumée, sans fric ni rien, et maintenant tu es riche, adorée de tout le monde. »

Il pousse un soupir triste ou mélancolique, je ne sais plus.

Moi : « Reconnais que c'est vraiment formidable ce qu'il m'arrive !

Nick : — Mouais... Au fait, ton film est très bien et surtout le gros plan sur tes yeux !

Moi : — Merci ! »

Puis un long silence que Nick semble apprécier.

Moi : « Est-ce que je fais toujours partie des Strongs ? »

Nick paraît très embarrassé. Il met un moment avant de répondre :

Nick : « Eh bien, non ! »

Je ne le laisse pas continuer. Je sors du café en courant. Je ne me souviens plus si je pleurais, mais en tout cas j'étais désespérée ! Je n'avais plus rien au monde ! Nick me rattrape et m'explique la situation :

Nick : « Écoute, ce n'est pas du tout ce que tu penses. Maintenant tu es une star et si on te surprend à faire une connerie ou à traîner avec nous, ta carrière sera fichue, tu piges ?

Moi : — Mais je vous préfère à ma carrière ! Et puis c'était juste un film comme ça ! Je ne compte pas du tout faire ma vie dans le cinéma !

Nick : — Même ! Ça pourrait te faire énormément de tort !

Moi : — Vis-à-vis de qui ? Du public ? Mais j'en ai rien à faire du public ! Toutes les vedettes font semblant de l'adorer mais elles sont comme moi, le public nous est indifférent ! Alors vis-à-vis de qui ?

Nick : — Eh bien, de tes parents !

Moi : — Je leur en ai fait voir d'autres à mes vieux !

Nick : — C'est pour ton bien que je te dis ça ! Et pour celui de ta famille.

Moi : — Ça y est ! J'ai compris ! Je suis une sale

bourgeoise, une intruse dans votre bande, quoi ? Autant me le dire directement au lieu de chercher des prétextes à la con ! Il ne faut pas quand même me prendre pour une idiote ! »

Et je m'en vais furieuse. D'ailleurs, je le suis encore ! Oui, il m'a vraiment déçue.

Bisous,

Lucie-Suzon

23 juillet

Je n'ai pas revu les Strongs. Peut-être devrais-je les décrire ?

Tout d'abord Nick, le chef chef. Il est de grande taille, de caractère joyeux et délicat. Il a l'allure d'un Portoricain à l'exception de ses yeux bleus. Ensuite Jeany, le chef. Il est petit, potelé, mais en fait très musclé ! Blond aux yeux noirs, il ne manque pas de charme ! Enfin François, le sous-chef : grand et maigre, voilà ce qui frappe le plus chez lui. Son teint très mat fait ressortir à merveille ses yeux vert émeraude !

Voilà les Strongs « à temps complet ». Et comme Nick me l'avait dit, aux vacances d'autres mecs viennent se joindre à la bande. Ils deviennent les soldats des trois vrais Strongs !

Gros gros bisous,

Lucie-Suzon.

25 juillet

J'ai aperçu les Strongs dans la rue. Je voulais les rattraper pour gifler Nick mais je n'en ai pas eu le temps parce qu'un groupe de personnes m'a cernée pour avoir des photos dédicacées ! Mais je me suis liée d'amitié avec la petite serveuse de *Chez Miqèh*. Elle m'a confié le plan qui permet de se rendre à la planque des Strongs. On doit longer la voie de chemin de fer et à un endroit marqué d'un « S », il faut soulever un panneau publicitaire : « For to be STRONG drink water », dire le mot de passe puis s'engouffrer dans un long tunnel noir qui aboutit à leur cachette. Il ne me reste plus qu'à connaître le mot de passe.

Bisous de détective,

Lucie-Suzon.

26 juillet

J'ai repéré l'endroit du panneau publicitaire. Quel peut être ce mot de passe ? J'ai eu beau questionner ma nouvelle copine, la serveuse, elle n'a rien pu m'apprendre. Les Strongs lui ont fait jurer qu'elle ne dirait rien. La seule information qu'elle m'a donnée, c'est que ça pourrait être un très joli prénom pour une fusée ! Vraiment je ne vois pas !

J'ai vu Narac à la télé. Il a l'air très fatigué. Il a sûrement dû apprendre que je n'étais pas arrivée à Paris comme prévu. Il a plusieurs fois émis l'idée d'adopter légalement une panthère, mais j'ai bien compris ce qu'il voulait insinuer ! Lucie Panthère, c'est moi : il a voulu me faire comprendre qu'il aimerait que je devienne vraiment sa fille.

Il va falloir que je lui écrive !

Lucie-Suzon.

27 juillet

Voici la lettre que je vais écrire à Narac :

« Narac,
« J'ai parfaitement compris que vous aimeriez beaucoup m'adopter, mais comprenez que je ne puis devenir votre fille car mes parents n'accepteront jamais de m'abandonner, surtout maintenant que je suis riche et célèbre ! Je suis à Deauville et je vous remercie de ne pas avoir entrepris de recherches pour me retrouver. Je vous remercie pour tout ce que vous avez fait pour moi,
« Je vous embrasse,
« Lucie. »

Bisous,

Lucie-Suzon.

P-S : Bon ! faut pas que j'oublie de poster la lettre !

3 août

J'ai suivi François jusqu'au panneau publicitaire : « For to be STRONG drink water ». Quand la trappe s'est soulevée et que François est entré dans le tunnel, j'ai juste eu le temps de m'y glisser moi aussi avant qu'elle (la trappe) ne se referme. J'étais à quelques mètres derrière François. Il ne me voyait toujours pas. Et là, l'horreur ! Les Strongs avaient dû se donner rendez-vous pour préparer un de leurs fameux « plans ». Mais dans un coin de la pièce une fille d'une quinzaine d'années était ligotée ! Tout laissait à penser qu'elle était beur ou quelque chose comme ça : grands yeux noirs et sourcils fournis, une longue bouche et un teint très mat, des cheveux charbon bouclés encadrant joliment son petit visage. Nick s'est approché d'elle, a éclaté de rire et l'a poignardée ! J'ai hurlé de toutes mes forces, c'était trop affreux, trop invraisemblable ! Jeany m'a vue, m'a poussée jusqu'au centre de la pièce. J'étais à côté du cadavre de cette fille qui (je l'ai su un peu plus tard) s'appelait Haddassa. Nick était effaré de me voir là. Il a fait sortir les autres Strongs de la pièce et m'a priée de m'asseoir.

Moi : « Pourquoi ? Pourquoi ?

Nick : — J'y étais obligé. Tu ne peux pas comprendre !

Moi : — Dis-moi pourquoi ou je te balance aux flics !

Nick : — Voilà : elle faisait chanter ma mère à cause d'une magouille quelconque que j'avais commise il y a un ou deux ans. Maman ne voulait pas que je fasse de la taule, alors elle payait. Elle s'endettait pour pouvoir donner du fric à cette fille. Tu comprends maintenant ?

Moi : — Mais c'était pas une raison pour la tuer !

Nick : — Qu'est-ce que je pouvais faire d'autre ? La menacer ? Elle n'avait pas peur de moi. C'était ma petite copine avant. Lui parler ? Inutile ! Elle ne comprenait rien sauf les cours de la Bourse ! Alors qu'est-ce que j'aurais pu faire d'autre ?

Moi : — Je sais pas, je ne veux pas savoir !

Nick : — Tu me balanceras aux flics ?

Moi : — Non, bien sûr que non ! C'est ton premier meurtre ?

Nick : — C'est pas un meurtre, c'est un règlement de comptes.

Moi : — C'est ton premier ?

Nick : — Non.

Moi : — J'ai en face de moi un criminel qui a déjà plusieurs victimes à son actif ! Et tu peux dormir avec tout ça sur la conscience ?

Nick : — Je ne tue pas pour le plaisir ! Et pour dormir ou pour oublier, j'ai un supertruc.

Moi : - Quoi ?

Nick : – J'te l'dirai plus tard. Allez, viens, on va prendre l'air !

Moi : — Qu'allez-vous faire du corps ?

Nick : — Ce soir, nous le jetterons sur l'autoroute.

Moi — Vous pourriez au moins l'enterrer !

Nick : — Complique pas, OK ?

Moi : — OK ! Au fait, c'est quoi votre mot de passe ?

Nick : — Vénus.

Moi : — Ah ?

Nick : — Allez, viens !

Moi : — Où ?

Nick : — Sur la plage. S'il y a un bijou de la morte qui te plaît, tu peux le prendre !

Moi : — Je ne vais tout de même pas lui voler quelque chose !

Nick : — Tout ce qu'elle avait, c'est avec l'argent de ma mère qu'elle le payait ! C'est comme si je te faisais un cadeau.

Moi : — Non merci. Et d'ailleurs, je n'aime pas les bijoux.

Nick : — Bon ! Tu viens sur la plage, oui ou non ?

Moi : — J'arrive ! »

Je jette un dernier coup d'œil sur Haddassa. Je lui ferme les yeux. J'ai pitié.

Morte, elle est morte : C'est affreux, Nick m'a parlé de tas de choses : son enfance bourgeoise, protégée, trop protégée ! Comment, à douze ans, il avait fait la connaissance de Jeany et de François, deux garçons des rues ; à quatorze il avait créé les Strongs... A dix-sept ans, son premier meurtre, et aujourd'hui, à dix-huit ans, son deuxième...

Je le déteste pour ce qu'il a fait à cette pauvre fille et pourtant j'éprouve une profonde amitié pour lui.

Bisous témoins d'un meurtre,

Lucie-Suzon.

5 août

Je viens de lire *La Vie devant soi* d'Émile Ajar. C'était super et émouvant. C'est le genre de livre où à chaque ligne on rit et on pleure...

J'ai trouvé une phrase que j'ai aimée et que maman et la mère de Nick auraient dû apprendre par cœur : « Lorsqu'on s'occupe des enfants, il faut beaucoup d'anxiété, sans ça ils deviennent des voyous. »

Bon, voilà.

Bisous,

Lucie-Suzon.

6 août

Il vient d'arriver quelque chose de plutôt extraordinaire ! Nick et moi étions assis au comptoir de *Chez Miqèh.* Nous parlions de choses et d'autres lorsque cinq ou six flics s'approchent de nous. Je deviens écarlate ! Ils avaient tout découvert pour Haddassa et ils venaient m'arrêter pour non-assistance à personne en danger ! Nick, lui, restait impassible ! Alors un des flics nous dit à peu près ceci :

Le flic : « Un cadavre a été retrouvé sur l'autoroute hier soir.

Nick : — Qu'est-ce que vous voulez que ça me fasse ?

Le flic : — Il se trouve que ce cadavre est celui d'une de vos récentes compagnes et d'après nos recherches elle vous faisait chanter on ne sait pour quelle raison ! Vous êtes le suspect numéro un. Avez-vous un alibi ? Si vous ne pouvez m'en fournir, vous me verrez obligé de vous emmener avec nous ! »

Nick devenait nerveux et moi de plus en plus rouge ! Un long silence, puis :

Nick : « Ma bande, les Strongs... »

Le flic l'interrompit.

Le flic : « Le témoignage de votre bande n'a

aucune valeur ! C'est tous des fripouilles de ton espèce, mon petit gars ! »

Le flic a expliqué qu'il n'avait jamais pu prendre Nick et ses Strongs la main dans le sac, mais que ça ne saurait tarder ! Puis il est revenu à l'alibi. Nick bafouillait. Il fallait que j'intervienne !

Moi : « Nick n'ose pas dire de peur de nuire à ma réputation qu'il était avec moi hier soir dans cet hôtel où j'ai loué une chambre pour quelques jours. Je vous certifie qu'il ne m'a pas quittée une seconde ! Êtes-vous satisfait de son alibi ?

Le flic : — Oui, oui, je vous crois ! Encore mille excuses ! »

Le flic partit, suivi des autres.

Nick : « Bravo ! J'étais bon pour la prison ! Comment pourrais-je te remercier ?

Moi : — En me promettant d'arrêter à jamais ces meurtres et ces magouilles !

Nick : — Arrêter les magouilles serait synonyme de la fin des Strongs, et ça, je ne peux pas !

Moi : — Tant pis pour toi !

Nick : — Merci encore ! Tu crois pas que tu en as trop fait ?

Moi : — Il fallait bien que ce flic se fasse remettre en place ! Sinon on l'aurait eu sur le dos pour longtemps.

Nick : — Allez, bye ! Faut que j'aille rejoindre les Strongs !

Moi : — Salut ! A demain.

Nick : — A demain ! »

Bisous alibis !

Lucie-Suzon.

7 août

Impossible de ne pas repenser à cette pauvre petite Haddassa ! Je n'arrive plus à dormir. Avant je n'étais que simple témoin, mais à présent je suis complice puisque j'ai menti aux flics pour sauver Nick ! Je n'en peux plus ! Que pourrais-je faire pour oublier ? Oublier... Me sentir heureuse et loin de tout ! Nick m'avait parlé d'un remède très efficace... Il faudra qu'il me donne de cette potion magique qui guérit du malheur et de la solitude...

Bisous stressés,

Lucie-Suzon.

9 août

J'ai parlé à Nick. Il m'a dit qu'il ne fallait pas que je touche à son « remède ». C'est de la drogue ! Nick, mon Nick se drogue ! Quelle horreur ! Il m'a affirmé que ça guérissait tous les maux mais que si je commençais à en prendre (de la drogue, pas des maux), je n'arriverais jamais à m'en sortir et à arrêter ! Je lui ai quand même demandé d'essayer, juste de sniffer. Il est d'accord. Il m'a aussi prévenue que la dope (c'est ainsi que les toxicos appellent la drogue) coûtait un pognon fou et que c'était pour ça que de temps en temps il était obligé de voler et de faire des escroqueries. Il paraît que lorsqu'on est en manque, c'est terrible ; on peut même se suicider !

Bisous de future dopée,

Lucie-Suzon.

10 août

Nick n'est pas venu me voir. Pour passer le temps, j'ai décidé de bavarder avec la serveuse de *Chez Miqèh*. C'est le genre de nana qui à la première occasion raconte sa vie et déballe tous les potins de Deauville et des alentours ! Physiquement, elle est mignonne mais elle a encore plus mauvais genre que Lisa ! Elle a de grands yeux noirs soulignés de bleu. Sa bouche pourrait être très jolie si elle n'était pas maquillée d'un rouge à lèvres trop lumineux. Son fard à joues est très bien. Ce qui frappe chez elle, c'est ses boucles d'oreilles ! Trois anneaux en or (en toc, bien sûr) superposés de façon à ce que cela fasse un trèfle ! Aujourd'hui elle porte un chemisier jaune fluorescent plus que décolleté, et une minijupe vert vif, vraiment très très mini la jupe ! Au fait elle a les cheveux roux. Au cours de notre discussion elle m'a appris quelques petites choses pas inintéressantes !

Elle : « Tu sais, il y a deux ou trois ans de cela, Nick n'était pas du tout ce qu'il est à présent !

Moi : — Et comment était-il donc ?

Elle : — Il était différent. Il avait déjà créé les Strongs mais ce n'était pas non plus la même bande qu'aujourd'hui !

Moi : — Je ne comprends pas bien ce que tu veux me dire ?

Elle : — Avant, les Strongs aidaient les vieilles dames à traverser les rues ou gardaient les enfants lorsque les parents sortaient. Tu vois l' genre !

Moi : — C'est fou ! Mais alors, pourquoi ce changement soudain ?

Elle : — Il y a eu Haddassa et ça a été la fin des " gentils " Strongs ! Je la reverrai toute ma vie débarquant dans cet hôtel en disant : " Ici je n'aime pas les mecs qui sont des poules mouillées et je crois que j'en ai trois devant moi ! " Alors Nick s'est levé et lui a foutu une baffe ! Après ça une immense amitié s'est installée entre eux. Puis ce fut un véritable roman d'amour ! Mais peu à peu les Strongs devenaient blousons noirs. Et en avril Nick a plaqué Haddassa parce qu'il venait de rencontrer une nana canon qu'il aimait beaucoup mais qui était partie et qui reviendrait certainement un jour... Qu'est-ce qu'il a pu nous en parler de cette fille, ses yeux turquoise, sa fugue et patati et patata ! D'ailleurs tu lui ressembles un peu ! »

J'essayais de prendre un air innocent.

Moi : « Ah bon ! Mais que s'est-il passé avec Haddassa ?

Elle : — Elle a extrêmement mal pris les choses ! Elle devenait complètement cinglée ! Lorsqu'elle voyait Nick, elle se jetait à ses pieds en lui disant que la fille qu'il avait rencontrée ne reviendrait jamais et qu'il valait mieux qu'il revienne avec elle, et à chaque fois Nick lui répondait que c'était fini entre eux, qu'il ne l'aimait déjà plus lorsqu'il avait rencontré cette inconnue aux yeux turquoise !

Moi : — Et après ? Comment Haddassa a-t-elle réagi ?

Elle : — C'est plutôt difficile à dire ! Toujours est-il qu'elle faisait chanter la mère de Nick. N'empêche que cette pauvre Haddassa était bien malheureuse ! Ah ! ce Nick ! Il lui en aura fait du mal ! Au fond, c'était une paumée ! Oui, il lui en a fait voir ! Parce que même pendant leur roman d'amour c'était un vrai salaud avec elle ! Et dire que maintenant elle est morte ! Pauvre gamine !

Moi : — Elle avait quel âge ?

Elle : — Quand elle a rencontré Nick, elle avait douze ans et lui seize.

Moi : — Avait-elle des parents ?

Elle : — Non. Une pauvre nana qui s'était sauvée de l'orphelinat !

Moi : — Eh bien ! au revoir et merci pour le café !

Elle : — Salut, à la prochaine ! »

Nick m'écœure ! Quatorze ans ! Comment a-t-il pu tuer une fille de quatorze ans ? Il ne mérite pas de rester en liberté ! Tant pis, je vais le dénoncer aux flics !

Bisous indignés !

Lucie-Suzon.

13 août

J'ai rencontré Nick dans la rue. Je l'ai giflé en disant que c'était honteux de tuer une gamine de quatorze ans ! Il a compris que je comptais le balancer aux flics. Il m'a dit qu'il ne pouvait rien faire d'autre et je lui ai répondu qu'il y a toujours une autre solution que la mort. Puis je suis allée au commissariat et j'ai dénoncé Nick ! Il a été arrêté. Les flics m'ont affirmé qu'il est majeur et qu'avec deux meurtres et quelques magouilles en tout genre sur la conscience, il pouvait aller en prison jusqu'à la fin de sa vie ! Du coup, j'ai vachement regretté de l'avoir balancé !

En plus, les flics ont pris Nick avec de la drogue sur lui.

Il est cuit !

Bisous de cafteuse !

Lucie-Suzon.

14 août

Je suis allée voir Nick en prison. Ça m'a fait vachement de peine de le voir derrière les barreaux. Quand il m'a vue, il m'a dit qu'il ne m'en voulait pas mais qu'à cause de moi il allait passer sa vie en taule ! Je lui ai répondu qu'il le méritait et que c'était pas la peine d'enfoncer le couteau dans la plaie ! Après j'ai sorti de mon sac un paquet de bonbons parce qu'il paraît qu'en prison la nourriture n'est guère bonne ! Je lui ai promis de venir le plus souvent possible et je lui ai dit que les Strongs m'avaient prévenue qu'ils viendraient le voir aussi très prochainement. Ensuite Nick m'a donné une lettre à remettre à Nathalie. Nathalie, c'est la serveuse de *Chez Miqèh*. Une fois dans la rue je n'ai pas pu résister à l'envie d'ouvrir l'enveloppe qui contenait le message pour Nathalie.

« Nathalie,

« Tu es la personne en laquelle j'ai le plus confiance. Mon procès va avoir lieu dans peu de temps et si, comme je le crois, je suis condamné à perpétuité, je te demande de donner à Jeany le rôle de chef des Strongs. Dis à François que ce n'est pas du tout une question de préférence mais je crois que Jeany aura plus de sang-froid quand il

aura affaire à la police ! Ensuite je voudrais que tu ailles voir ma mère et lui dire que je l'aime et qu'elle n'a pas à s'inquiéter pour moi ; si j'ai mal tourné, ce n'est pas de sa faute ! Tout mon argent et mes affaires sont à toi, Nathalie. La cocaïne qui me reste, donne-la à Lucie. Je crois qu'elle aimerait y goûter. Merci d'avance,
« Nick. »

Je n'aurais jamais pensé que Nick était un sentimental ! Vais-je accepter cette cocaïne ? Et puis, zut ! J'y goûterai, et si ça ne me plaît pas, j'arrêterai ! Je suis un peu flattée qu'il ait pensé à moi dans sa lettre. Au fond, je le comprends d'avoir confiance en Nathalie ! Elle est loyale. Oui il a eu raison. C'est tout à fait normal qu'il n'ait pas confiance en moi, comment faire confiance en celle qui l'a dénoncé ? Pourquoi mais pourquoi ai-je tout raconté au commissaire ? Je m'en veux, je m'en veux ! Oui, la drogue m'aidera-t-elle à oublier ?

Bisous qui s'en veulent,

Lucie-Suzon.

15 août

J'ai donné la lettre de Nick à Nathalie. En la lisant, j'ai cru voir une ou deux larmes couler sur sa joue. La pauvre ! Elle était hyper émue qu'il ait une telle confiance en elle ! Elle a dit que dans trois jours nous ferions une mini-cérémonie à l'occasion du changement de chef des Strongs. Je lui ai répondu qu'il fallait attendre le procès de Nick : peut-être sera-t-il libéré car il avait des circonstances atténuantes ! Nathalie a accepté de patienter jusqu'au jugement.

Puis je suis allée revoir Nick. Il m'a dit qu'il ne pouvait pas se payer d'avocat parce qu'il était archifauché ! Je lui ai juré de trouver une solution et qu'il aurait le meilleur avocat de la ville !

Bisous d'avocate !

Lucie-Suzon.

16 août

La date du procès approche à grands pas ! Nick est dingue d'inquiétude ! Il dit que c'est fichu, sa vie ! Je lui ai payé un avocat qui essaie de le rassurer mais il m'a dit qu'il n'avait pas beaucoup d'espoir quant à une éventuelle liberté pour Nick ! Alors je me suis énervée et je lui ai dit que je le payais pour qu'il sorte Nick du pétrin, pas pour qu'il passe sa journée à se lamenter ! Puis je suis allée *Chez Miqèh* me saouler la poire ! Enfin, me saouler : boire un verre de whisky ! C'est tellement fort l'alcool que j'étais pompette dès le premier verre ! Nathalie m'a demandé d'être demain à 20 heures devant le casino. Il paraît que c'est important ! Elle n'a pas voulu me dire de quoi il s'agissait parce qu'il y avait du monde au bar et qu'elle n'avait pas vraiment envie qu'on entende notre conversation. D'après ce que j'ai compris, il doit s'agir de la drogue. Ça me fait peur... De toute manière, je ne me piquerai pas. Je snifferai seulement. Alors ça ne comptera pas ! Nathalie m'a dit que lorsqu'on se dope, on a l'impression de pouvoir voler et qu'il y a des toxicos qui se jettent par la fenêtre certains de pouvoir rester en l'air et voler ! En fait, ils tombent et meurent. Beurk ! C'est affreux !

Bon ! eh bien, voilà pour le moment !

Bisous

Lucie-Suzon.

PS : Lisa et ses lettres me manquent un peu...

17 août

Ce matin, j'ai posté une lettre à Lisa lui racontant tout ce qui m'est arrivé depuis la séparation avec Narac. Je lui ai aussi refilé mon adresse à l'hôtel-bar *Chez Miqèh,* de son vrai nom, je ne veux pas le dire, cela restera un mystère !

En début d'après-midi j'avais rendez-vous avec l'avocat de Nick. Il m'a assuré qu'il ferait de son mieux mais qu'il n'y avait pas grand espoir ! Au mieux, vingt ans de prison ! Terrible, hein ? L'avocat m'a demandé de garder confiance et que si Nick était condamné à perpétuité c'est qu'il l'avait mérité, qu'il ne fallait pas s'apitoyer sur son sort, qu'il avait déjà sacrifié deux vies ! Je le sais, tout ça ; c'est moi qui l'ai balancé aux flics ! Cet après-midi, j'ai fait une longue sieste puis je suis allée me balader sur la plage. Plusieurs personnes m'ont reconnue et m'ont demandé trois tonnes d'autographes et de photos dédicacées. Ensuite je suis allée voir mon film : *Question d'éducation.* C'est vrai que le plan sur mes yeux est pas mal !

Vers 20 heures, je me suis rendue au Casino. Nathalie m'attendait devant la porte. Voici en gros notre discussion. Nathalie chuchotait.

Moi : « Alors, qu'est-ce que tu me veux ?

Nathalie : — C'est au sujet de la drogue. Tu veux en fumer, la sniffer ou te piquer ?

Moi : — Sniffer ! C'est le moins dangereux je crois ?

Nathalie : — Peut-être, mais c'est moins efficace.

Moi : — Oh ! tu sais, c'est juste pour essayer !

Nathalie : — OK ! La drogue est dans mon sac.

Moi : — T'en as déjà pris ?

Nathalie : — De la drogue ?

Moi : — Ben oui, je ne parle pas de confiture !

Nathalie : — Oui, j'en ai déjà pris. Ça devenait une véritable folie ; je piquais de l'argent à ma famille pour pouvoir m'en procurer !

Moi : — Tu te piquais ?

Nathalie : — Ouais. Pratiquement tout le temps ! C'était dingue ! J'étais toujours en manque !

Moi : — Comment t'as fait pour arrêter ?

Nathalie : — Mes parents m'ont fait faire une cure de désintoxication. Ça a été terrible, vraiment très dur ! Puis une fois guérie, ils m'ont trouvé ce boulot de serveuse.

Moi : — T'as jamais été tentée d'y retoucher ?

Nathalie : — Si ! Toujours ! Mais ma volonté est plus forte que tout !

Moi : — Bon ! tu me donnes la drogue, oui ou non ?

Nathalie : — Tiens ! (Elle sort de son sac un ou deux sachets blancs qu'elle fourre aussitôt dans ma poche.) Fais bien attention ! Si tu te fais pincer, c'est la prison ! Au fait, ne dis jamais que c'est moi qui t'en fournis !

Moi : — Promis ! Allez, bye !

Nathalie : — Salut, et fais gaffe ! »

Je m'en vais. Je n'ai toujours pas ouvert ces

sachets. Ils sont là près de moi. Je snifferai peut-être demain ou tout à l'heure, je ne sais pas.

Bisous presque drogués,

Lucie-Suzon.

18 août

J'y ai goûté ! Ça m'a fait bizarre. Une drôle de sensation ! Je me suis sentie supérieure, intelligente, plus intéressante ! J'en reprendrai demain peut-être. Je ne peux pas décrire ce que la drogue produit comme effet. C'est trop difficile ! Les mots ne peuvent pas expliquer.

Le procès de Nick aura lieu dans cinq jours. J'ai peur pour lui, j'ai peur pour sa mère, j'ai peur pour les Strongs, j'ai peur pour moi, j'ai peur pour tout ! Son avocat m'a dit qu'il faudra que je témoigne. Il me faudra dire la vérité pure, la vérité vraie de vraie ! Ne pas mentir en faveur de Nick, parce que, si les juges l'apprennent, ça pourrait aller très loin et Nick pourrait en subir les conséquences ! Ça serait vraiment dommage !

Bisous,

Lucie-Suzon.

20 août

Je ne toucherai plus jamais de mon existence à la drogue ! Je ne sais pas pourquoi j'ai pris cette décision soudaine, mais c'est sûr, archisûr ! Le procès de Nick a lieu dans trois jours. Je te raconterai tout dans les moindres détails. J'ai reçu une longue réponse de Lisa à la lettre que je lui avais écrite :

« Salut !

« Eh ben ! Tu nous en as fait faire du souci ! A la gare, tout le monde t'attendait, et quand le train est arrivé, pas de Lucie ! Je te raconte pas la tronche de tes pauvres parents ! J'espère que plus tard je n'aurai pas une fille dans ton genre, parce que sinon j'aurai souvent des dépressions nerveuses ! J'ai montré ta lettre aux parents. Ils étaient soulagés de voir que tu allais bien ! Alors, comme ça, t'es témoin d'un meurtre ? Purée, l'angoisse ! Et c'est ton Nick qui l'a commis ? Eh bien ! tu as de belles fréquentations ma chère ! Tu sais pas quoi ? J'ai acheté un jean, enfin une fringue comme tout le monde ! Remarque, ce jean est rose fluo ! Tout est archifini entre David et moi. Ça s'est passé trop vite pour pouvoir te raconter la dispute ! A présent David sort avec cette connasse de Myrtille (et moi avec Benoît).

Oui, excuse-moi, je te l'ai chipé, mais quand tu as fait ta fugue, il a cru que tu le plaquais ! Enfin, tu vois le style ? Tes deux sœurs sont à côté de moi. Elles veulent écrire quelque chose.

« Notre chère sœur,

« On veut que tu saches que nous t'aimons très très fort ! Que tu nous manques beaucoup. Sapotille (notre toutou) est triste car tu n'es pas là. Maman et papa aussi sont tristes !

« Énormes bisous,

« Prune et Étoile, tes deux sœurs adorées. »

Voilà la lettre de Lisa et de mes sœurs. Lorsque j'ai lu le texte des jumelles, j'avais les larmes aux yeux. Bon, je leur écrirai ! A elles et aux parents.

Bisous,

Lucie-Suzon

24 août

J'ai décidé d'arrêter de signer « Lucie-Suzon ». Car Suzon est mon nom de star et que je ne veux pas être célèbre et que je n'ai pas le comportement d'une vedette ! Voilà pourquoi maintenant je signerai : « Lucie ».

Bisous,

Lucie.

25 août

J'ai lu *Les Trois Mousquetaires.* C'est très bien ! Mon préféré est Athos. Par certains côtés il me fait penser à mon grand-père. Ils sont tous les deux calmes et parlent peu ; mais lorsqu'ils ouvrent la bouche, ce n'est pas pour ne rien dire ! C'est drôle, mais Milady m'est plutôt sympathique ! Elle abuse de son charme mais qu'est-ce qu'elle est intelligente ! Quant à Constance Bonacieux, je la trouve vraiment inintéressante !

Bisous de trois-mousquetairienne !

Lucie.

26 août

Le procès de Nick a eu lieu. Après avoir rempli toutes les « formalités », le juge en vint enfin aux choses intéressantes. Premièrement, il a raconté toute la vie de Nick, du biberon jusqu'au meurtre, puis a fait appeler le médecin psychiatre. Le psy a dit que Nick n'avait aucun trouble, qu'il était tout à fait normal et qu'il avait commis ses crimes en toute conscience. Il a dit aussi que Nick avait un sang-froid spectaculaire ! Ensuite, le juge a appelé les témoins... Il a commencé par moi. Après m'avoir fait jurer de dire toute la vérité, il m'a posé des questions :

Le juge : « Depuis combien de temps connaissez-vous Nick Adam, l'accusé ?

Moi : — Je l'ai rencontré pour la première fois en avril et nous nous sommes revus en juillet.

Le juge — Que faisiez-vous à Deauville ?

Moi : — Je venais de fuguer. Mes parents ont eu de mes nouvelles par courrier très fréquemment.

Le juge : — Que s'est-il passé très exactement à l'instant du crime ?

Moi : — J'étais dans un coin de la pièce. Je me cachais derrière une poutre ou quelque chose dans le genre ! J'espionnais les Strongs ! Soudain, un des Strongs roula par terre une fille ligotée ! Je n'ai pas bien pu distinguer son visage. Alors Nick s'est approché d'elle et l'a poignardée ! J'ai hurlé et ils m'ont vue.

Le juge : — Et que s'est-il passé à ce moment-là ?

Moi : — Rien. Nick m'a dit qu'il ne pouvait pas faire autre chose que la tuer. »

Alors l'avocat de Nick est intervenu :

L'avocat : « Vous dites qu'il ne pouvait pas faire autrement ? Qu'il était obligé de la tuer ?

Moi : — En quelque sorte, oui. Disons qu'elle faisait chanter la mère de Nick !

L'avocat : — La mère de qui ?

Moi : — La mère de Nick.

L'avocat : — Pourquoi n'avez-vous pas tout de suite dénoncé l'accusé ?

Moi : — Parce que je croyais que c'était une salope qui ne pensait qu'au pognon, mais lorsque j'ai appris que la victime n'avait pas plus de quatorze ans, j'ai trouvé que Nick était un véritable criminel. Alors j'ai averti la police. »

Le juge reprit la parole.

Le juge : « Lorsque l'accusé a tué Mlle Haddassa, a-t-il dit quelque chose ou éprouvé un sentiment ?

Moi : — Je ne sais pas si je dois le dire ?

Le juge : — Vous devez tout dire.

Moi : — Il a éclaté de rire ! »

Il y eut quelques chuchotements dans la salle.

Le juge : « Merci, mademoiselle Lucie Panthère ! Vous pouvez regagner votre place.

Moi : — Avec plaisir ! »

A partir de cet instant, des dizaines de gens ont témoigné aussi bien pour le meurtre d'Haddassa que pour le premier qu'il avait commis ! Puis ce fut le tour des psychiatres et l'évocation du problème de la drogue. Même la bande des Strongs a été interrogée ! Je commençais à m'ennuyer ! Je trouvais que c'était honteux que les juges posent des questions sur la vie intime de Nick ! De temps en temps, je le regardais. Il avait l'air las, accablé ! J'avais l'impression qu'il en avait marre qu'on dévoile ainsi sa vie ! A un moment, tandis que je le regardais, il s'est retourné vers moi. Nos regards se sont croisés et ses yeux semblaient dire : « Pourquoi m'as-tu dénoncé ? Je pensais que tu comprendrais ! Haddassa avait beau avoir quatorze ans, c'était une salope ! Pourquoi m'as-tu dénoncé ? »

Au cours du procès j'ai appris comment s'était passé le premier crime de Nick. En fait, ça n'était pas vraiment vraiment un meurtre ! Ce fut dans une bagarre à laquelle tous les jeunes de Deauville participaient et à un moment Nick a tapé trop fort sur un mec, et ledit mec est tombé en arrière et s'est ouvert le crâne. Beurk ! Quelle horreur !

Enfin les juges et les jurés sont partis délibérer. Quand ils sont revenus au bout de plusieurs heures, le juge a lu le verdict : Nick était condamné, pour un meurtre commis quand il était mineur (le premier) et pour l'autre là il était majeur —, trafic de drogue et petites escroqueries, à vingt ans de prison ! En entendant cela j'ai failli m'évanouir ! J'ai regardé Nick : il avait les larmes aux yeux ! C'était affreux, troublant et tout et tout... Après le verdict, j'ai essayé de m'approcher de lui. Il ne m'a pas parlé, il me faisait la gueule ! (Remarque, je le comprends !) Je l'entendais murmurer : « Vingt ans... Vingt ans ! »

Voilà !

Lucie.

28 août

Hier je suis allée voir l'avocat de Nick. Il m'a dit que Nick avait eu beaucoup de chance de n'être condamné qu'à vingt ans parce que normalement, avec tout ce qu'il avait fait, il aurait dû en avoir pour toute sa vie ! Mais vu qu'il avait pas mal de circonstances atténuantes... Oh ! et puis zut ! Je m'en fous de Nick ! Il a tué une gosse, je l'ai dénoncé, rien de plus normal ! Et puis Nick m'avait bien dit que je ne faisais plus partie de leur bande de Strongs, alors zut ! Je m'en fiche de lui ! C'est qu'un criminel ! Demain je fais ma valise et je quitte Deauville pour New York. J'ai une tante qui vit là-bas. Côté argent, le film et le disque me rapportent énormément de fric, donc pas de problèmes ! Il faut que j'aille prendre un billet d'avion et que je prévienne ma tante Gina de mon arrivée.

Bisous de New-Yorkaise,

Lucie.

29 août

Crotte de bique ! Ma tante Gina est partie au Canada pour ses vacances et elle a prêté son appartement à une copine ! Mais je vais quand même partir à New York. Je me débrouillerai pour trouver un hôtel une fois arrivée là-bas. Je suis allée dire au revoir à Nathalie, à Nick, aux Strongs et à leur nouveau chef, Jeany. Nathalie m'a dit que les Strongs me détestaient car j'avais dénoncé Nick. Je lui ai répondu que c'était normal et que moi-même je m'en voulais un peu de l'avoir ainsi donné. Hier soir, j'ai relu ce journal depuis le début. C'est fou ce qui m'est arrivé comme trucs ! Personne ne voudrait croire que j'ai vécu toutes ces aventures en si peu de temps...

Bisous,

Lucie.

30 août

Je suis dans l'avion destination New York. Le garçon qui est assis à côté de moi est super mignon !

Lucie.

1er septembre

Arrivée à New York. Ça n'est seulement que gratte-ciel et HLM ! C'est affreux et en même temps c'est beau ! Allez y comprendre quelque chose !

J'ai trouvé un petit hôtel sympathique pour coucher cette nuit. Je ne te raconte pas les problèmes pour communiquer ! Parce que l'accent américain, c'est véritablement incompréhensible !

Bon ! C'est à peu près tout !

Lucie.

3 septembre

New York, si grande ville... Et moi, petite et perdue au milieu de ces rues ! Je n'en peux plus de solitude ! Je déjeune seule, je me promène seule, je dîne seule, je regarde la télé seule, je dors seule ! Oui, la vie n'est vraiment pas marrante ! La France me manque tellement que, parfois, lorsque j'y songe, des larmes me montent aux yeux et coulent sur ma joue.

Bizarre, étrange, mais j'ai envie de revoir mes parents et les jumelles. Je donnerais tout l'or du monde pour parler avec Lisa ! Je suis si loin de tout ici. Hummm... Je pourrais retourner à Paris, mais j'ai trop d'orgueil !

Bisous très très déprimés,

Lucie.

4 septembre

« Même un chien ne doit pas avoir de remords. » Voilà ce que j'ai trouvé en flânant dans une librairie française de la 48e rue ! Du coup, j'ai lu tout le bouquin : faut dire qu'il est tout petit (*Le chien qui a vu Dieu* de Dino Buzzati).

L'histoire se passe dans un petit village du sud de l'Italie et ce village a perdu la foi. Il suffit d'un signe de Dieu (ici, le chien) pour réveiller les consciences. Tiens, encore un truc chouette :

« Vous autres, les humains, êtes tenus par une sorte de honte... Vous voulez vous montrer méchants, pires que vous n'êtes en vérité, ainsi va le monde. »

Moi, il n'y a pas besoin de la réveiller, ma conscience ! Elle est même un peu trop dynamique. Tous les somnifères du monde ne suffisent pas à l'endormir. Bon. De toute manière, faudra bien que je les appelle un jour, alors... Demain, je téléphone aux parents !

Bisous consciencieux,

Lucie.

5 septembre

Ça va coûter une fortune mais j'ai téléphoné à papa maman. Lorsque je leur ai dit que c'était moi, ils ont cru que c'était une blague ! Et puis après ils ont reconnu ma voix.

Ah ! Les pauvres vieux ! Ils avaient des sanglots dans la gorge ! Moi je paraissais très cool et sûre, mais, en fait, j'étais aussi émue qu'eux ! Nous avons parlé de n'importe quoi. Mon chien est devenu allergique à la nourriture pour chats. Il ne mange plus que celle destinée aux canaris ! Le fils de ma tante est finalement admis au cours préparatoire. Grand-mère a tracé un cercle par terre, y a installé grand-père et lui a interdit d'en sortir ! Papa m'a dit que Lisa s'était teint les cheveux en roux ! Ah ! sacrée Lisa !

N'empêche que les parents me manquent ! C'est chiant d'être seule, mais je ne peux pas retourner à Paris ! Quelque chose m'en empêche tout au fond de moi. Peut-être que la personne qui me retient loin de Paris, c'est moi ! Est-ce que je me connais vraiment ? « Moi », quel drôle de mot ! Qu'est-ce que moi ? Qui connaît la signification du mot moi ? Qui suis-je ? D'où viens-je ? Où vais-je ? Voici mes trois questions éternelles.

Lorsque je les ai posées à Lisa, elle m'a

répondu : « Je suis moi, je viens de chez moi, et j'ai hâte d'y retourner ! »

Bises très intellectuelles,

Lucie.

7 septembre

Les parents m'ont téléphoné. Maman est enceinte. Cette fois, ça n'est pas des jumeaux. Si c'est un mec, j'ai exprimé à papa le souhait de l'appeler Nick. Il ne m'a pas demandé pourquoi. Il s'en fout ? Pour lui, je suis encore un bébé.

Ils ne me prennent pas au sérieux : c'est dommage ! C'est une des raisons qui m'ont poussée à fuguer.

Bisous de grande sœur (hélas),

Lucie.

19 septembre

Toujours et encore New York.

Enfin, j'ai osé ! Je me suis fait couper les cheveux. J'en avais tellement assez de mes longs, longs, longs cheveux noirs trop raides... Les voilà courts et bouclés ! C'est chouette.

New York, j'aime un peu parce qu'on est anonyme.

Mon film n'est pas sorti ici, alors je suis quelqu'un de « normal ». En plus, j'ai hyper perfectionné mon english ! Je suis une pro ! Si un jour je rentre en France, je passerai l'agrég. Reçue à coup sûr !

Bisous de cheveux tout courts,

Lucie.

21 septembre

Une lettre des parents

« Lucie, nous avons beaucoup réfléchi. Tu es notre fille, nous te l'avons déjà dit, et nous assumons cela. Ce n'est pas toujours facile d'être tes parents. Au début, lorsque tu es partie, nous étions inquiets, crois-le bien. Nous t'avons fait rechercher, puis ta lettre rassurante est arrivée. Ensuite, ton film *Question d'éducation* est sorti. Cette petite fille rejetée et sans parents te ressemblait si fort que nous avons mesuré ce qui t'avait poussée à partir. Puis plus de nouvelles jusqu'à ce fameux coup de fil de New York.

« Tu as beau avoir seize ans, tu es quand même sous notre responsabilité.

« Alors, maintenant, ça suffit. Dans une semaine, nous viendrons te chercher à ton hôtel et nous rentrerons tous à Paris.

« Tes parents qui t'aiment un peu mieux. »

Voilà. Tout est bien qui finit bien, comme on dit. Ils vont venir me chercher. Je retournerai à Deauville, c'est sûr. Dans une semaine, je reprends une vie « normale »...

A partir de cet instant et pour toujours, je ne serai plus malheureuse !

Alors, salut, bon vieux journal !

Et puis, comme disait l'autre :
« Quand on vit fort, on vit sans mémoire. »
Derniers bisous,

Lucie.

COLLECTION LITTÉRATURE FRANÇAISE
(extrait du catalogue)

Monique Ayoun
Le radeau du désir

Daniel Baldit
Primabera docks

Marie-Claire Bancquart
Les tarots d'Ulysse

Jean-Claude Barreau
Le vent du désert

Marcel Béalu
La poudre des songes

Jacques Besse
La Grande Pâque

Pierre Bettencourt
L'abîme caché ou le pèlerinage à Jérusalem

Marcel Bisiaux
Lise nue

Marie-Claire Blais
L'ange de la solitude

Adélaïde Blasquez
Le noir animal

Bruno Bommelaer
L'homme au chien

Marie-Claude Bomsel
Le grand Momot

Jean-Louis Bory
Le pied

Pierre Bourgeade
Le lac d'Orta

Claude Bourgeyx
Coups de foudre

Serge Bramly
La danse du loup

Jacques Brenner
Le neveu de Beethoven

Jean-Claude Brisville
La révélation d'une voix et d'un nom

Frantz-André Burguet
Les mouettes noires

Philippe Caloni
Le couvre-feu

Anne Capelle
La dame Tango

Nicole Casanova
L'oiseau vert du bonheur

François Cavanna
Les fosses carolines
La couronne d'Irène

Sylvie Cohen
Les chiens fous

Gaston Compère
Robinson 86

Jean Contrucci
Un jour, tu verras

Copi
La cité des rats
L'Internationale argentine

Gérard de Cortanze
Giuliana
Elle demande si c'est encore la nuit

André Coupleux
Moi, Pierre Tessier, capitaine du Jason

Claude Courchay
Retour à Malaveil
Un oiseau de passage
Le chemin de repentance
Chronique d'un été

Jacques Crickillon
Le tueur birman
L'Indien de la gare du Nord

Lucile Debaille
Framboise
Après dissipation des brumes matinales

Frédéric Dévé
Le miroir du Charco Verde

Alain Duret
Les années froides

Yann Gaillard
L'amateur d'épouvante

Gérard Gantet
Mort et transfiguration pour la jeune fille étrangère

Xavière Gautier
Le lit clos
et autres récits d'amour

André Gillois
Un roman d'amour

Liliane Gourgeon
Dédié à Kim
Olivia, pour mémoire

Jean-Paul Guénot
La femme sans nom

Michel Hendrel
Le sablier retourné

Hénin Liétard
Scopitones

Michèle Ibensaal
Mélo Man

Vénus Khoury-Ghata
Le fils empaillé

Djanet Lachmet
Le cow-boy

Anne de Lacretelle
Encore une journée divine

Roselyne Laële
Marie du Fretma

Michèle Laforest
L'île du silence
La perquisition

Thierry Laget
Comme Tosca au théâtre
Florence, via Ricasoli 47

Jean-Gérard Lapacherie
Khadija

Georges Londeix
Tonio Bicicleta
Le pont Marida

Valéry Luria
La chute de Babylone

Philippe Lutz
Il neige sur Kyoto

Claude Margantin
Chéridoudou de Cosmopopo

Loÿs Masson
L'illustre Thomas Wilson

Pierre Minet
Un héros des abîmes

Joëlle Miquel
Les rosiers blancs

Pierre Miquel
La lionne de Belfort

Sylvère Monod
Madame Homais

Edgar Oppenheimer
Les fils de joie

Michel Polac
Le Q.I. ou le roman d'un surdoué

Gisèle Prassinos
Brelin le frou

Gilbert Prouteau
L'ombre d'un juif

Jean Rambaud
Les miroirs d'Archimède

Edgar Reichman
Le rendez-vous de Kronstadt
Rachel

Yak Rivais
Les demoiselles d'A

Maurice Roche
Mémoire

Charlette Roudé
Rue Paradis
Vincent ou la vertu déshabillée

Jean Rousselot
Pension de famille

Annick Rousset-Rouard
Ronald

Dominique de Roux
Le Cinquième Empire

Isaure de Saint Pierre
D'azur de d'hermine

Annie Saumont
Dis, blanche colombe

Maren Sell
L'amour d'après

Jacques Serguine
Je n'ai pas fini de t'aimer aujourd'hui

Dominique Sila
Les carnets de Judith Steiner

Mamadou Soukouna
Le désert inhumain

Marie-Antoinette Tonnelat
Retour à Pasargada

Hocine Touabti
L'amour quand même

Gilbert Toulouse
Rose du sud

Viviane Villamont
Le guêpiot

André Villon
La place des Treize-Coins

Charlotte Wagner
La luronne

Francis Walder
Chaillot ou la coexistence

Georges Wolinski
Le bécoteur

Ahmed Zitouni
Aimez-vous Brahim ?

Cet ouvrage a été composé
par l'Imprimerie BUSSIÈRE
et imprimé sur presse CAMERON
dans les ateliers de la S.E.P.C.
à Saint-Amand-Montrond (Cher)
en septembre 1990

N° d'édition : 2555. N° d'impression : 1910-1470
Dépôt légal : septembre 1990

Imprimé en France